康乃爾大學、麥肯錫顧問的祕密武器

為什麼聰明人都用方格筆記本？

高橋政史 著
謝敏怡 譯

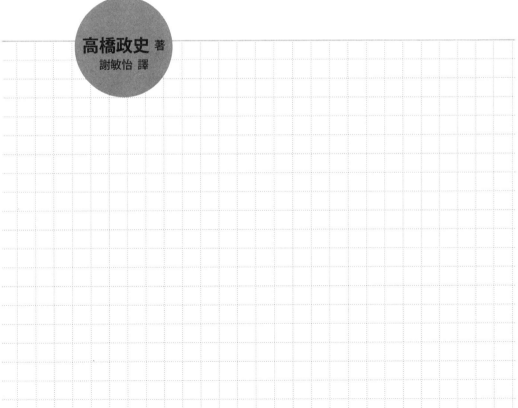

麥肯錫顧問公司、波士頓顧問公司、
外商顧問、東大合格生……
每個聰明人都使用「方格筆記本」。
究竟是爲什麼呢？

因爲方格筆記本有助於「整理思緒」。

寫下條理分明的筆記，
不但可以清楚整理腦袋中的想法，
也使念書或工作變得更有趣且順心。

筆記是**「第二個腦」**。
只要看一個人的筆記，
就可以了解他腦中的想法。

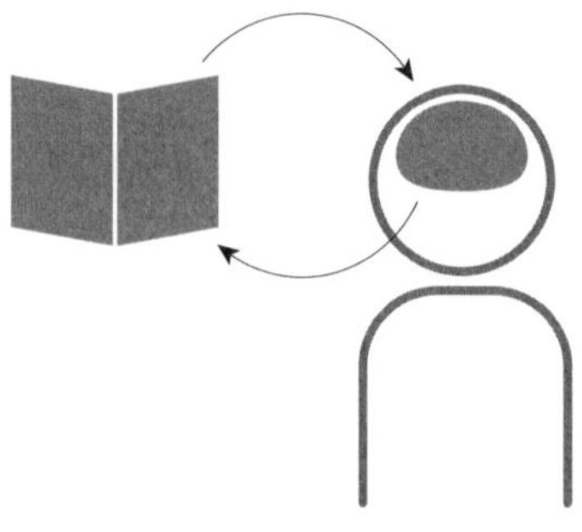

Q.

你現在使用什麼樣的筆記本呢？

完全不想看第二遍的
「雜亂筆記」

使用4種以上顏色書寫的
「七彩筆記」

A6以下，日誌本尺寸的
「小筆記本」

將黑板跟白板資訊一字不漏照抄的
「剪貼筆記」

「剪貼筆記」
「剪貼筆記」
「剪貼筆記」

那個也寫、這個也抄的

「肥胖筆記」

沒有圖表的

「純文字筆記」

沒有留白、沒有縫隙的

「無縫隙筆記」

這麼說起來，

我有學過

該如何做筆記嗎？

如果你的筆記本符合上述任何一個情況，
表示它正阻礙你發揮長才。
現在就改變做筆記的習慣吧！

使用方格筆記本，
可以改變你的人生。

〈推薦序〉

在行動科技當道的時代，「筆尖思考」更形重要！

識博管理顧問創辦人、「專案管理生活思維」站長
姚詩豪（Bryan Yao）、張國洋（Joe Chang）

身為管理顧問，大量蒐集情報並歸納分析成為我們每天必做的功課。雖然在行動科技當道的時代，人手一支智慧型手機或平板，但手寫筆記本仍是我們的重要裝備。畢竟從文字被發明以來，人類就用手抓著筆桿，在紙上（或地上）刻畫出腦中的迴響與內心的起伏。這些年在試用了各式各樣的數位工具之後，目前還沒有任何工具比紙筆更加直接無礙地傳達我們的思想。

這本書不光是教大家做筆記，更強調一種思維的方式。作者分享了國際知名顧問公司做筆記的訣竅，它們不僅僅是「書寫格式」，更是一種思考的

指引與架構。正如我們常在部落格中鼓吹「筆尖思考」的重要，如果讀者能細細讀完本書，並運用到工作生活當中，你的回報除了一本結構扎實的筆記外，更包含一套深度思考的功夫！

〈推薦序〉
適合各種人閱讀的全方位筆記術

《筆記女王的手帳活用術》作者　筆記女王Ada

剛看到書名《為什麼聰明人都用方格筆記本？》時，心裡想著：「喜歡用方格筆記本的人，不外乎是希望把字寫整齊、畫圖或貼圖容易對齊、標題分段清楚明確，進而幫助大腦整理思緒。這麼簡單，三兩句話就可以解釋清楚的事情，有足夠的內容可以寫成一本書嗎？」等到讀完整本書時，我才知道我被書名的限制框架給框住了，其實這是一本適合各種程度的人閱讀的全方位筆記術。

在這本書裡，我學到了三個「三」。

第一個「三」：筆記的三個功能。

筆記就像是人類的第二個大腦，用來顯現我們大腦所想和所記憶的。書中提到筆記的功能分三種：記憶、思考、傳達這三個功能。而這三個功能正符合人生三個作筆記的階段——學生時代的學習筆記主要用來幫助記憶，出社會工作後的工作筆記幫助我們思考；而最後的簡報筆記和決勝筆記幫助我們用來傳達我們所想的結果。我自己做筆記這麼多年，都是用直覺在做筆記，從沒思考過可以這樣分類。

第二個「三」：善用黃金三分割法來寫筆記。

黃金三分割法就是將筆記頁面分成三等份來寫筆記，左邊一欄寫下黑板上的資料，或是記下當時的事實，之後在右邊一欄寫出歸納整合後的心得，中間一欄是察覺欄，寫下自己察覺到的事情，並將它故事化。筆記分成三欄後，就更能幫助我們將筆記的內容深深記在腦海了。

第三個「三」：善用推展、歸納、強調三種不同的箭頭。

利用邏輯連接詞加上代表推展、歸納、強調的三種箭頭，幫助我們串連筆記中的關鍵字，完整地表達出我們大腦中所想的。

學會了這三個「三」，可以說是已經學會基礎的筆記術了。

我最喜歡本書的第5章，那可說是整本書的精華。藉由前面三個「三」的基礎筆記法輔助，再加上麥肯錫或豐田等幾家大公司的思考演繹法，我們更能夠清楚地表達出腦中所想的，並且將思考過的結果濃縮成一個訊息呈現出來變成簡報筆記。這是進階版的筆記術。對於已經會作筆記的人來說，第5章是絕對值得學習的一個章節，可以幫助你提昇思考的能力和筆記的技巧。

《為什麼聰明人都用方格筆記本？》眞的是一本全方位筆記術的書，不懂做筆記的人讀完本書，你將會學會基本作筆記的技巧。已經很會做筆記的人來讀此書，將會使筆記從A到A+。我從這本書裡學到很多，希望大家讀了此書也能獲益良多，所以推薦給大家。

〈前言〉

麥肯錫顧問跟東大生都在用的「方格筆記本」

我開始擔任顧問不久，身爲前麥肯錫合夥人的上司給了我一樣東西，那是一本**A4藍色方格筆記本**。

我問他爲什麼給我筆記本，他回答：「因爲麥肯錫的每個顧問都使用方格筆記本。」

我便抱著「爲何是方格筆記本？」的疑問，從那一天開始使用方格筆記本。

在那之後，我開始與麥肯錫、波士頓、埃森哲、博思艾倫等外資顧問公司的人共事，他們手上拿的筆記本必定是方格筆記本。

之後，我在兩百多家公司舉辦了「提升筆記技巧」研修課程。在那期間，我閱覽過不少人的筆記，例如：想提升成績的學生、爲不知該如何整理想法而苦惱的上班族、中學到大學的教師等。

那時，我注意到：**能力強的人跟普通人的筆記長得不一樣！**

外商顧問等能力強的人，會使用大量的圖表，視覺化且有邏輯地整理出「易於閱讀」的筆記。

另一方面，總是無法獲得成果的人，其筆記只是單純的抄寫，即便反覆閱讀也無法重現內容。

兩者所使用的筆記本也不同。外商顧問是使用易於書寫、看起來很犀利的方格筆記本。但大多數的人都是使用不適合畫圖表、一般的橫紋筆記本、小尺寸的日誌型筆記本，或是在百元店購買不好書寫的筆記本。一般人往往不願意花錢購買好的筆記本，或是不在意筆記本的好壞。

◇東大筆記本、京大筆記本……考生都使用方格筆記本！

在日本知名升學補習班的文具販賣部裡，有一處的筆記本疊得很高，特別顯眼。那是「東大筆記本」跟「京大筆記本」，兩者都是方格筆記本。

現在考生常用的筆記本就是「方格筆記本」，你是否知道這個趨勢呢？

數年前有一本暢銷書《考上第一志願的筆記本：東大合格生筆記大公開》，「東大筆記本」就是依據那本書的構想而研發出來的。以此爲開端，除了「京大筆記本」之外，各式各樣的「合格筆記本」也如雨後春筍般出現在坊間，而每一本都是方格筆記本。從最常見的橫豎畫線的標準型，到點線型、輔助虛線型等，現在市面上已有各種不同類型的方格筆記本。

不知從何時開始，考生的應試新準則逐漸轉爲使用方格筆記本。

（聯經出版）

◇爲什麼聰明人都使用方格筆記本？

外商顧問、東大生……這些聰明人爲何都使用方格筆記本呢？

■方格筆記本的類型

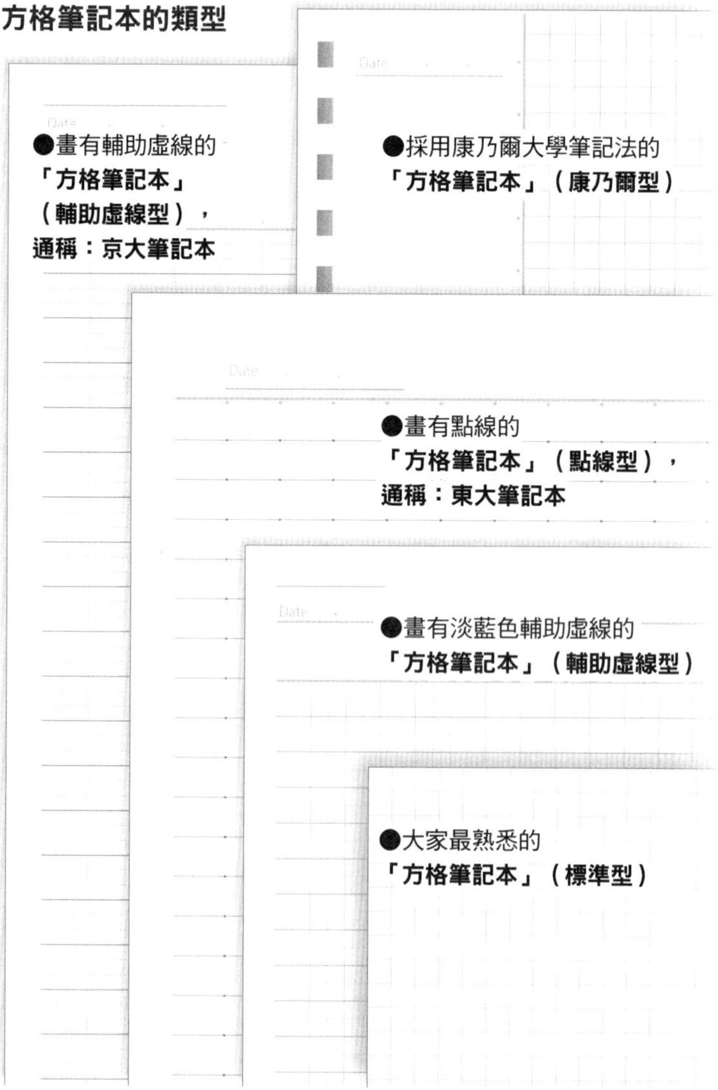
Date
●畫有輔助虛線的
「方格筆記本」
（輔助虛線型），
通稱：京大筆記本
Date
●採用康乃爾大學筆記法的
「方格筆記本」（康乃爾型）
Date
●畫有點線的
「方格筆記本」（點線型），
通稱：東大筆記本
Date
●畫有淡藍色輔助虛線的
「方格筆記本」（輔助虛線型）
●大家最熟悉的
「方格筆記本」（標準型）

那是因爲方格筆記本的直橫線可以作爲輔助線，方便繪製圖表，因此做出來的筆記有視覺效果，看一眼就可以馬上理解。

視覺上「易於閱讀」的筆記，應用於商場上也有很大的助益。

「不要一開始就面對電腦！」

身爲前麥肯錫合夥人的前上司這樣告訴我，並給了我一本A4大小的藍色方格筆記本。

在那之前，我有一套屬於自己風格的筆記使用方法。但是，開始使用方格筆記本之後，逐漸能夠清楚地整理出自己的想法，面對電腦的時間馬上減爲一半以下，製作資料的速度和品質都提升很多。回過神來，我現在竟然能以顧問的身分站在上市上櫃公司的高層面前，胸有成竹地進行簡報。

我瞬間了解到：**「筆記本不只是抄寫資訊的工具，背後還隱藏著意想不到的力量。」**

方格筆記本也有很好的「重現性」。所謂重現性，是除了重溫所抄寫的內容之外，甚至可以喚起當時的熱絡情況與臨場感。

方格筆記本不但能整理想法，甚至可以重現當時的熱絡氣氛，是商務與學習的利器，也會是你的戰略「武器」。

◇方格筆記本的六大優點

有了這樣的實際體驗，我深信**「改變筆記本→提升能力→成爲有能力的人！」**的模式是存在的。因此我開始舉辦「提升筆記技巧」的研修課程，學員從學生到商務人士各行各業都有，人數已高達兩萬多人。

使用方格筆記本，有以下六大優點：

①**提升記憶力**（增大記憶體空間，不容易忘記學習過的東西）。

②**有助於邏輯思考**（強化思考事實、解釋與解決方法的邏輯思考能力）。

③**提升解決問題的能力**（即便是複雜的問題，也能有邏輯地整理，找出解

決方法）。

④**簡報變得得心應手**（筆記本身就是強而有力的簡報素材）。

⑤**增加動力**（易於書寫、賞心悅目的筆記能提高動力）。

⑥**提升學習能力**（提升孩子的學習、考試、證照考試等學習效果）。

如果學生改變筆記習慣，便能提高學習效率，成績明顯進步，考上更好的學校，入學考試合格！如果商務人士改變筆記習慣，則能夠大幅縮短製作資料與開會的時間。顯著提高工作效率，減少加班，甚至是零加班，充實自己的私人生活，各方面的生活品質都會有所提升。

◇改變人生，就從改變你的筆記開始

我們究竟爲何要使用筆記本呢？

爲了學校的學習，爲了考試，爲了找工作，爲了工作所需……人生中有許多場合都需要使用筆記本，然而本書中活用筆記本的目的只有一個，那就是**「爲了改變人生」**。

我們必須朝著人生下一個階段「讓筆記本進化」。

例如，某個考生爲了考上東大，朝著人生下一個階段前進，整理出漂亮的筆記，進化成「易於閱讀」的筆記。而社會新鮮人進入如麥肯錫等外商顧問公司的同時，將筆記本更換成「方格筆記本」的理由也相同。

改變人生，就從改變你的筆記開始。

如果你想要考上第一志願或進入夢寐以求的企業工作，或即將成爲社會人士，或作爲商務人士，希望往更高的層級提升，或希望從基層員工升遷爲管理階層，就應該改變你的筆記。

◇聰明人的筆記都存在「三大法則」

那麼，該如何改變筆記呢？

答案是：**「使用方格筆記本，寫上標題，使用三分割法。」**這就是本書將介紹的「讓你變聰明的方格筆記本三大法則」。

法則1：使用「方格筆記本」

例如東大筆記本跟京大筆記本皆為「合格筆記本」，麥肯錫與波士頓顧問公司等外商顧問也都是使用「方格筆記本」。只要使用方格筆記本，你所書寫的筆記就會蛻變成「一目瞭然」、讓腦袋變聰明的筆記。

法則2：寫上「標題」

筆記上方有空白空間，你通常會在此處寫些什麼呢？

其實大部分的人都是「從來沒有去注意過」「只有寫上日期而已……」。

然而，這個空白處是筆記「最重要的地方」。方格筆記本上方的空白處要寫上如報紙的「標題」。如果報紙沒有標題，是否令人難以想像呢？同樣地，沒有標題的筆記，會使得理解速度一落千丈。

法則3：使用三分割法

在方格筆記本使用「三分割法」。由左向右，將筆記分割爲三部分，以「事實→解釋→行動」順序書寫筆記。

其實「事實→解釋→行動」的「三分割法」筆記方法是東大生、美國名校大學生和麥肯錫等外商顧問公司的顧問都在使用並實踐的方法，可說是讓頭腦變聰明的世界標準法則。

「使用方格筆記本，寫上標題，使用三分割法」

■筆記上方的空白空間

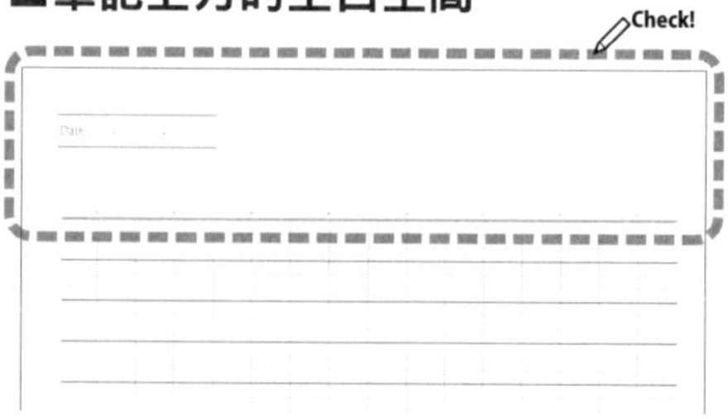

只要每天依循這簡單的三大法則，書寫筆記，就能加快大腦的思考速度，學習與工作的效率將會有巨大的改變。

本書將依據此三大原則介紹「方格筆記本」的具體使用方法。

不用強求一定要做到一百分。只要依照自己的步調，從能力所及的範圍開始，一個一個地熟練這些原則。當你回過神來，就會發現自己在某個地方發生了很大的改變！那正是方格筆記本改變你人生的瞬間。

如果透過本書，你能開始每天使用「方格筆記本」，在拓展嶄新的人生新舞台時有所貢獻，我也感到於有榮焉。

只是改用「方格筆記本」，就能夠提升能力！

——體驗者的心聲

我任職製造業，因此具備豐田「五個為什麼」的基本概念。但是，以前我都只在腦袋中思考「為什麼」，並未有系統地整理過去學習的東西和經驗，甚至有「想不出來，得不到結論」這種束手無策的感覺。

但我只不過依循著三分割法使用「方格筆記本」，在筆記本上就實現了「深入思考自己的想法↓得出結論」的過程。

（36歲，女性，半導體製造商員工）

我學習過心智圖法等各種筆記術，但方法繁複且混雜。而使用「方格筆記本」，只要理解一個規則，就可以簡潔地整理想法。

方格筆記本是依循架構整理想法，因此只要一邊讓對方看筆記，一邊說明，就可以輕鬆說服對方、激勵員工，效果驚人。

（32歲，男性，ＩＴ公司老闆）

「黃金三分割法」不僅是筆記的架構，也是思考的架構。

作為資料輸入的「方格筆記本」，其守備範圍更擴張到資料輸出，讓我強烈地感受到它的魅力。

（35歲，女性，設計師）

光是理解到筆記有「記憶↓思考↓傳達」的流程，我的說明能力好像就一口氣提升了不少。在筆記上「保留自己的解釋空間」這一點，也讓我恍然大悟。使用方格筆記本，自己再回過頭來看，或是給他人閱讀，**都能夠明確地理解「到底想要傳達什麼」，做出明確易懂的產出。**

（21歲，女性，大學生）

過去我認為「方格筆記本」是算術或數學運算時才使用，**知道「方格筆記本」不僅有助於學習，甚至是可以應用於工作場合的萬用筆記本，讓我驚訝不已。**漂亮的筆記能「快速理解」「有重現性」「易於閱讀、方便整理資訊」。從思考到會議，「方格筆記本」可以活用於工作的各種場合。

（27歲，男性，照護管理專員）

平時思考時，腦袋會毫無邏輯、天馬行空。將方格筆記本分割為三部分書寫，讓我得以具體地思考，理解事物的重點。

而且「方格筆記本」也有助於學習，便立即推薦給我的孩子。

（39歲，男性，業務）

我經常在大學課堂上一再跟學生說：「用自己的大腦思考！」但只是嘮叨可能沒有什麼效果，讓我煩惱不已。就在此時，我跟方格筆記本相遇了。

一開始我只覺得：「真的有這麼厲害嗎？」沒想到一使用便驚為天人。

我認為自己是個謹慎思考、工作的人，但試著使用這個筆記本，讓我察覺到不只是要用自己的大腦思考，運用過去所獲得的知識跟經驗更是關鍵。

（42歲，女性，大學老師）

CONTENTS

目錄

第2章 為何麥肯錫顧問一定要用「麥肯錫筆記」？

CONTENTS

目錄

CONTENTS

目錄

指南1

給不同讀者閱讀本書章節順序的建議

本書為因應不同需求的讀者而寫，從考生、第一線的商務人士，到教育人士皆適用。以下閱讀指南，提供給各種讀者參考使用。

※為理解讓頭腦變好的方格筆記本之基本概念，**請先閱讀「第1章、第2章與指南2」**。以此為基礎，強化你現階段所需要的筆記技能。閱讀章節的選擇基準如下。

○章 → 最優先　○章 → 有時間再讀　○章 → 心有餘力時

① 職場人士

適合必須從大量的資訊中整理出重點，並淺顯易懂地傳達給對方，需要「工作能力」的人。

有時間的讀者請從做筆記的基礎「第3章的學習筆記」開始閱讀。想要立即應用於職場的讀者，請以第4、第5章為閱讀重點，並馬上實踐。

第3章	第4章
第5章	指南 3

② 學習者

適合需要考試、證照考試、升遷考試、潛能開發與提升學習效率的人。

考生請閱讀第3章。準備證照考試、升遷、提升工作能力等，需要在工作場合「學習」的人，請配合第3章與第4章一起閱讀。

第3章	第4章
第5章	指南 3

③ 簡報者

適合顧問、管理企畫、業務與經營者等，工作上須進行簡報的人。

有良好的資訊輸入，才有良好的資訊輸出。首先掌握第3章的內容，再從第4章到指南3之中找出可以實踐的地方著手嘗試。

第3章	第4章
第5章	指南 3

④ 教育者

適合學校或補習班的老師、企業的教育訓練員、為人父母者等具有「教育」責任的人。

熟稔最基本的第3章「學習筆記」後，請活用方格筆記本，強化工作與教育場合都需要的「講解能力」。

第3章	第4章
第5章	指南 3

第1章

想改變人生，就從改變「筆記本」開始！

讓頭腦變聰明的筆記 VS. 無法發揮能力的筆記

讓頭腦變聰明的筆記

Check!

- [x] 一目瞭然，簡潔清爽
- [ ] A4尺寸以上大小
- [ ] 書寫用筆的顏色為三色以內
- [ ] 一頁內只寫一個主題
- [ ] 整理黑板、白板上的資訊，再做成筆記
- [ ] 留下足夠的空白
- [ ] 有許多圖表和插圖
- [ ] 再次閱讀筆記時能重現當時的內容

無法發揮能力的筆記

- [ ] 第一印象雜亂，完全不想再看第二遍
- [ ] A6尺寸以下，類似日誌本的小尺寸筆記本
- [ ] 使用4種以上的顏色書寫
- [ ] 亂無章法地把所有東西都寫到筆記裡
- [ ] 把黑板跟白板上的內容一字不漏地抄寫至筆記
- [ ] 筆記密密麻麻，完全沒有留白
- [ ] 沒有圖表和插圖，只有文字
- [ ] 重看時無法重現當時情景

首先，看一下你手邊的筆記本。

筆記本有兩種類型：「讓頭腦變聰明的筆記」跟「無法發揮能力的筆記」。

你的筆記本是哪一種類型呢？

如果你覺得「我明明就很努力了，卻總是沒有成效……」，請仔細看一下你的筆記本。看了之後感覺如何？

你的筆記本會不會是「讓你無法發揮能力的筆記」呢？

你是否正在考慮參加提升技能的研習課程？如果你有孩子，是否正思考要增加孩子的補習時數？要是你有這樣的想法，在下決定之前，不如**先試著挑戰改變筆記方式吧！**

學校或公司都不會教你的重要技能

99％的人都一直使用「無法發揮能力的筆記」。

這是我截至目前看過兩萬人以上的筆記本，所看到的事實。

筆記是用來提升學習或工作效率、引發潛能的戰略工具。然而，爲何會有如此缺乏效率的狀況發生呢？

原因只有一個，那就是**「從來沒有人教過筆記本的使用方法」**。

大多數的人從未學過做筆記的方法。

你是否也有一樣的問題？

我在某間電信公司舉辦培訓課程時，向學員問道：「過去是否有被指導過筆記本的使用方法（做筆記的方法）？」結果只有一位。

當天的學員有一百人，也就是說，學習過筆記本使用方法的人僅占1%。這就是現實狀況。

另一方面，在〈前言〉提到的東大合格生當中，回答「曾被學校、補習班老師或父親教導過筆記本的使用方式」的人則不在少數。

你是否曾被教導過如何使用筆記本呢？

成爲外商顧問的新鮮人，會從上司手中拿到「方格筆記本」，由上司批改筆記，每天磨練筆記技巧。也就是說，頭腦好的人都有以下經驗：

- **曾被教導過筆記本的使用方法**
- **筆記被人用紅筆批改過**

頭腦好的人、工作能力好的人和會讀書的人，在某個階段就會脫離「無法發揮能力的筆記」，轉而使用「讓頭腦變聰明的筆記」。

在砸大錢進修之前，先從改變「無法發揮能力的筆記」做起

成爲社會人士之後，有人投資高額的進修費用，參加邏輯思考的進修課程、或是提升工作效率的技巧、潛能開發的講座，也有人參加速讀法或記憶法的講座。其中，有很多人爲了提升自我能力而投入高額學費。

當然，這些努力都不會白費工夫。但是，**在進修之前應該先學會寫「能夠重現學習內容的筆記」**。

無論參加多麼好的課程或講座，如果無法寫出重現課程內容的筆記，好不容易獲得的知識與技巧很有可能就浪費掉了。

筆記的核心概念就是「重現性」，這是做筆記最重要的目的。

然而，不曾被教導過如何使用筆記本的人，之後回頭看自己做的筆記時，

筆記本上雖然按順序寫下片段的詞彙與文句，但最重要的「爲什麼這樣的資訊是必要的？」「那個資訊該如何應用？」等過程不會出現在筆記上。也就是說，這樣的筆記缺乏重現性。

如果你覺得自己的筆記「無法重現學習過的內容」，不是因爲你參加的課程或講座不好，更不是因爲你的能力差，或是缺乏決心、努力不夠所造成的。**原因出在筆記上。**

筆記無法重現學習內容，而阻礙了你發揮能力。這才是眞正的原因。

「無法發揮能力的筆記」阻礙了你，讓你無法提升自己的能力。

比起「參加什麼講座」，重要的是「如何靈活地重現並運用參加的講座所獲得的知識與技巧」。

爲此，要先捨棄手邊無法發揮能力的筆記，改用讓頭腦變聰明的筆記。

如果你總是無法重現學習內容，那只是因爲以前的筆記阻礙了你而已。

改變筆記方法，你的能力也會有所改變。

表面上看起來寫得整齊漂亮的筆記，回頭重新看時，卻發現「無法重現學習的內容……」，這就是典型的「無法發揮能力的筆記」。如果不思考做筆記的目的，以及之後要如何活用這份筆記，就無法達成你期望的結果。

「爲避免忘記而做筆記。」「將黑板、白板的資訊一字不漏地抄寫下來。」「因爲習慣，不自覺地抄寫筆記。」這樣的筆記習慣，就到今天爲止。

那麼，到底應該如何做筆記呢？

讓我們透過本書一起掌握做筆記的技巧吧。

錯誤的筆記方法，讓你離成功越來越遠

◇「無法發揮能力的筆記」就像學了10幾年英文仍然不會用

有的人可能會想：現在才修正做筆記的方式，也不會有太大的改變了吧？但就像每天的飲食會影響健康，你每天都做筆記，如果筆記一直維持現狀、放任不管，長時間下來，在各方面都會有負面影響。

例如，許多人從國中、高中到大學，花了10幾年學習英語，卻無法於工作場合使用。爲什麼會這樣呢？那是因爲學習英語的方法有很大的缺陷。

這個道理跟「無法發揮能力的筆記」是一樣的。

大多數人的筆記技巧，還停留在學生時代的某個時間點。你是否連「持續這樣下去好嗎？」都沒有思考，就讓這樣的筆記習慣延續至今？

維持有問題的筆記習慣，不但會讓自己無法發揮能力，甚至會讓能力更加降低。

如果持續採用錯誤的筆記方法，會使腦袋的運作產生缺陷，讓學習到的知識、經驗，甚至是花費的時間全部化爲烏有。

再者，如果持續使用有問題的筆記方法，未來不但無法好好掌握各種機會，也有可能因此糟蹋了大好人生。

這就是你必須改變筆記方法，**馬上從「無法發揮能力的筆記」改爲「讓頭腦變聰明的筆記」的最大理由。**

◇讓頭腦變聰明的筆記「第一步」

精通筆記技巧的最初階段，必須從掌握自己目前的筆記哪裡不好，有什麼不足之處開始。

把手邊的筆記跟前述談及的「無法發揮能力的筆記」兩相比較，會發現：

①給人的第一印象是雜亂，完全不想要看第二遍的「雜亂筆記」。
②A6以下，日誌本尺寸，沒有思考空間的「小筆記本」。
③使用4種以上顏色書寫的「七彩筆記」。
④那個也寫、這個也抄的「肥胖筆記」。
⑤只是將黑板或白板的資訊一字不漏寫下的「剪貼筆記」。
⑥沒有留白，寫得密密麻麻、沒有空隙的「無縫隙筆記」。
⑦沒有圖表和插圖的「純文字筆記」。
⑧重看時無法回憶當時內容的「徒有其表的漂亮筆記」。

■「無法發揮能力的筆記」的例子

①「雜亂筆記」

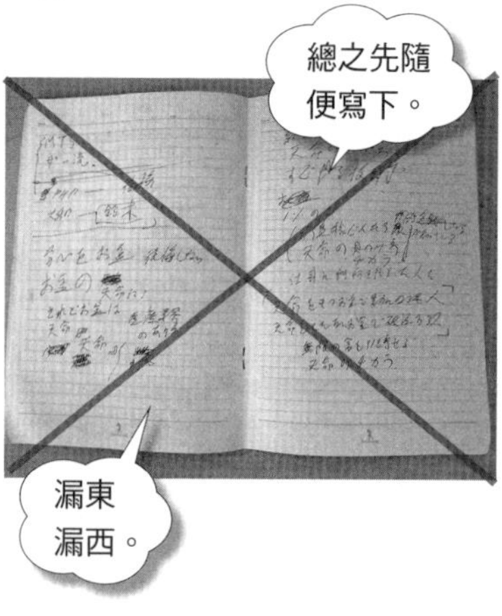
總之先隨
便寫下。
漏東
漏西。

②「小筆記本」

尺寸過小。
只是單純
抄寫。

③「七彩筆記」

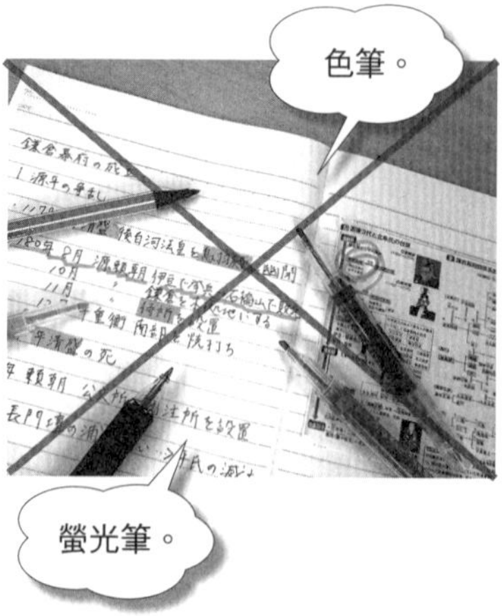
色筆。
螢光筆。

⑥「無縫隙筆記」

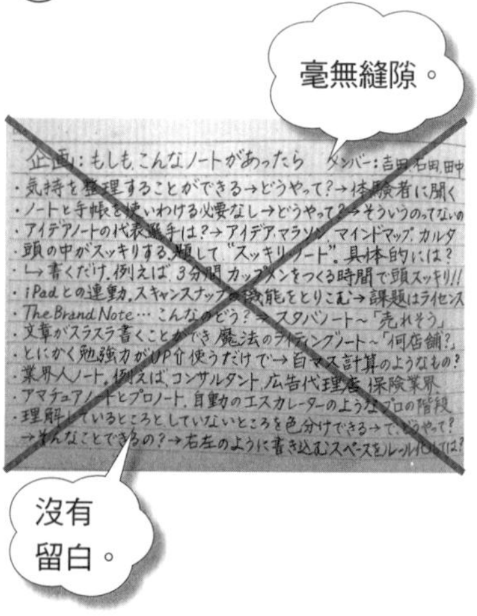
毫無縫隙。
沒有
留白。

◇八種問題筆記讓你降低了哪些能力？

①**雜亂筆記**→降低理解力、動力。

②**小筆記本**→無法培養思考複雜事物的能力、邏輯思考能力。

③**七彩筆記**→無法養成決定優先順序的能力、判斷能力。

④**肥胖筆記**→降低捨棄事物的決斷能力、整理能力。

⑤**剪貼筆記**→剝奪記憶能力、自我思考能力。

⑥**無縫隙筆記**→降低理解速度、複習能力。

⑦**純文字筆記**→無法養成掌握視覺、表現的能力。

⑧**徒有其表的漂亮筆記**→降低學習、理解能力。

方格筆記本有助於激發潛能，強化思考能力

你使用什麼樣的筆記本呢？是一般有畫線的筆記本？還是空白的筆記本？如果你想將自己往上提升一個層次，就將筆記本換成方格筆記本吧。

「頭腦好的人」跟普通人之間的差別，除了記憶力以外，就在於「資訊的統整能力」。**頭腦好的人，腦袋總是不斷地進行「統整」**。也就是說，聰明人會寫下「統整」好的筆記。

東大合格生可說是聰明人的代表，他們所寫的筆記可以直接當作參考書，一目瞭然、容易理解。麥肯錫等外商顧問寫的筆記則可以直接當作簡報素材使用，是統整過的重點條列式筆記。

他們共同之處在於，都使用「方格筆記本」。

方格筆記本的特徵是，用淺藍色或灰色的細橫線與直線畫出正方形的方格，經常於繪製圖表、畫設計圖時使用。平常參加課程或講座，或出席會議、商務拜訪，也可使用方格筆記本。

你可以靈活運用方格筆記本的橫線與直線，例如，

- 對齊第一行。
- 在第一行空2到3個字之處，可以寫小標題。
- 小標題下再空2到3個字後開始寫內容。
- 項目改變時換行。
- 可以輕鬆留白，保留統整資訊的空間。

如此，可以輕鬆書寫，簡單且整齊地整理筆記。

第一行、小標題等內容的開頭排列整齊，會使筆記變得乾淨俐落。這樣的筆記不只容易閱讀、好理解，光是看就會心情愉快、提高動力。

保留充足的空白處，不但可增加筆記的易讀性，也可以作為聽講時抄寫筆

記，或是寫下之後想詳細確認項目的空間。

因爲有正方形的方格，便於繪製圖表，自然地會變成視覺效果佳的筆記。用一整頁繪圖時，也如空白筆記般使用順手。

另外，養成一個主題使用一個開頁的習慣。方格筆記本不適合流水帳式的筆記方法，它比較適合一個主題一個筆記本開頁，重現性高的筆記格式。

擁有這麼多優點的**方格筆記本**，應該可以讓你理解它**可以讓頭腦變好，具有激發潛能的功能。方格筆記本已經超越萬能筆記的框架，只要使用它就可以養成統整能力，強化思考能力，甚至是鍛鍊想像力。**

方格筆記本還有更多優點，詳細將於第2章時介紹。

■方格子讓你「寫得漂亮」

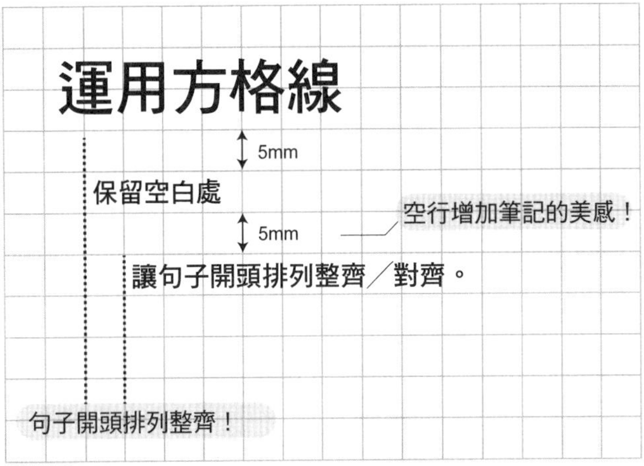

①可以漂亮留白。
②開頭、段落排列整齊。
③行間取得平衡。
④可以調整字體大小。
⑤能抄寫整齊易讀的文字。

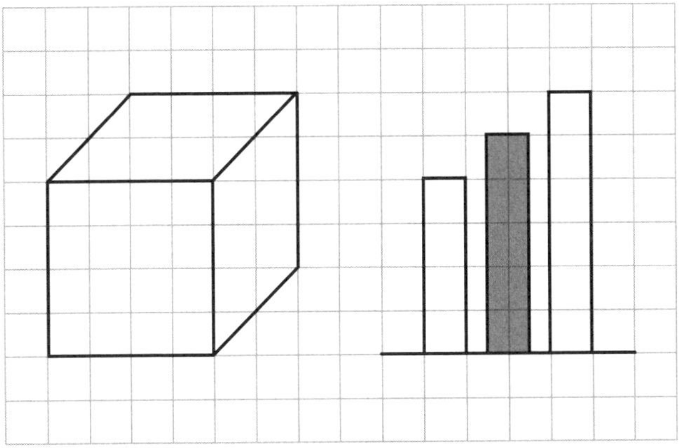

⑥能簡單描繪圖表。
⑦正確地描繪圖表。
⑧也可以簡單配置外商顧問使用的邏輯圖解。

第2章

為何麥肯錫顧問一定要用「麥肯錫筆記」？

用方格筆記本改變「架構」，迅速統整資訊

學習時的要點爲何？

「塡鴨式地塞進腦袋就好了嗎？」

「或者是說，不要太塡鴨式的方法比較好？」

你認爲哪個比較好呢？

事實上，這並不是重點，重點在於有無「架構」。

架構＝「整理思考的書架」。如果有「架構」，可以塞進龐大的知識和資訊到腦中，也能夠捨棄不必要的知識或資訊，掌握並整理重點。

然而，如果沒有「架構」，大小資訊就會變得都很重要，即便只是少量的資訊或知識，也會使得頭腦混亂。

無論是工作或學習，最重要的並不是把資訊塞進腦袋，如何統整資訊，能否有效地利用資訊才是關鍵。

◇「架構＝整理思考的書架」

頭腦的好壞由「架構」決定。

使用正確的「架構」整理腦袋中的想法，能夠讓頭腦變好；而持續使用錯誤的架構，則會使腦袋混亂。

無論是工作或學習，依據不同的架構會產生不同的結果。

以「架構＝整理思考的書架」來舉例。

假如知識或資訊是書，即便擁有很多書籍，如果雜亂堆疊、隨意放置，必要時無法立即找出需要的書籍，結果就是英雄無用武之地，無法發揮功效。

知識或資訊也一樣。如果有畫分明確的「整理思考的書架＝架構」，將所需的知識與資訊整理到架構中，於必要時可以立即找出來使用。

思考敏捷、頭腦好的人，會將資訊整理至「架構」中，並儲存起來。

不論是學習或工作，會因使用不同的「架構」而有不同的結果。如果有明確的架構，無論是學習或工作皆可順利進行，能夠成為有能力的人。

◇人是受「架構」影響的生物

人的思考與行動會受到「架構」很大的影響。如果擁有明確的架構，人就會做出正確的行動。

例如道路上的「中央分隔線」。在開車時，因爲道路的中央分隔線會映入眼中，大家都會在規定的車道上順暢地行駛。

又如籃球架的籃圈。因爲有籃圈，才可以將球投入正確位置。但如果沒有籃圈這樣的架構，即便是職業選手，也無法將球正確地投入瞄準的位置。

又例如停車格的停車擋板。因爲有停車擋板的架構，我們才能夠把車子停在正確的位置。

「中央分隔線」「籃球架的籃圈」「停車格的停車擋板」這些實例，讓我們了解到：**如果有明確的架構，人們便可以正確地思考並行動。**

◇「架構」決定了工作與學習的品質！

因爲有道路的中央分隔線，使我們得以順暢行駛，學習、研究、工作也一樣，如果有「架構」便可順利進行。正因爲意識到架構的存在，才可以依循著目的整理並組織知識與資訊，獲得相應之結果、成果。

有無「架構」，決定了頭腦變好與否。

道路的中央分隔線

籃球架的籃圈

在工作場合，這個架構也被稱作爲「格式」（Format）。事前決定格式，放入資訊或想法，進行統整，就可以在短時間內有效率地製作出高品質的企畫書或簡報資料。

很多人都小看了格式的功能。然而，就是因爲有格式，我們才能夠將必要的資訊整理成簡潔扼要的重點。

格式不只可以應用於學習或是商場上，即便是在運動界，如鈴木一朗等一流運動選手也貫徹能獲得結果的「格式」，道理亦同。

而外商顧問公司，則有出色的格式。與外商顧問交談時，我深刻感受到：

架構決定了工作與學習的品質！

使用不同的架構會有不同的結果，外商顧問使用的架構就是「方格筆記本」，任誰都可以仿效學習。

就如同道路上的「中央分隔線」，以方格筆記本的直線與橫線作爲「原則」整理想法，無論在工作或學習都能獲得豐碩的成果。

接下來要爲你揭露外商顧問使用「方格筆記本」的秘密。

「方格筆記本」是外商顧問公司的必備武器

在前面的篇章，本書同時提到學生與社會人士使用方格筆記本，如東大合格生與麥肯錫顧問等。但嚴格來說，我們必須認知到：**學生的筆記跟社會人士的筆記有本質上的差異**。學生的筆記必須儲存並累積知識，以邁向下一個新的階段，因此相當要求知識或資訊的「儲存」功能。

另一方面，社會人士的筆記必須在一定的期間內引導出成果。爲此，要能夠快速地分辨資訊是否必要，取捨選擇，因此相當重視「捨去」的功能。

無論何種情況，如果有架構或格式，便可以快速且有效率地進行；若沒有架構，則會使效率大幅下降。

最早意識到「架構」的重要性，並加以巧妙使用的，是麥肯錫與波士頓顧問公司等外商顧問公司。

如前述，麥肯錫顧問公司使用自己研發的方格筆記本（簡稱「麥肯錫筆記本」），波士頓顧問公司則是使用L!FE公司生產的方格筆記本。

這些30歲到35歲、年收數千萬日圓的外商顧問總是「方格筆記本」不離身，他們用來：

- 在會議中做筆記。
- 現場整理會議中所談及的議題。
- 訪問客戶時使用。
- 整理提案內容的重點。
- 寫下簡報資料的草稿。
- 深夜時進行資訊分析。

外商顧問的知識生產，在方格筆記本上得以展開。

■麥肯錫筆記本

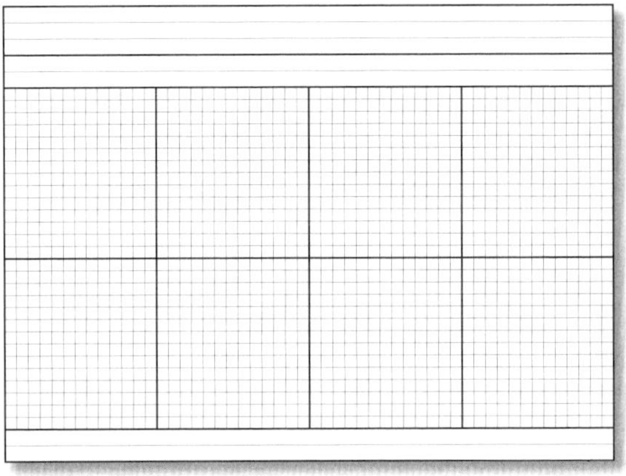

在此格式上書寫，如同製作簡報的環境中進行資訊的配置、視覺化與生產訊息。

■L!FE公司生產之方格筆記本

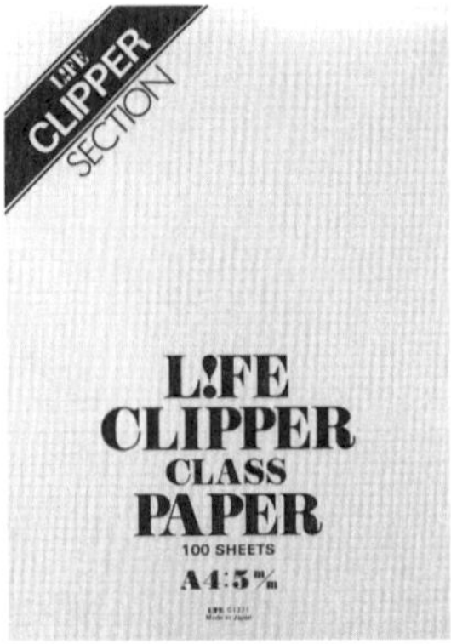

波士頓顧問集團的必備辦公用品。

大前研一都用「巨大方格筆記本」

前麥肯錫日本分公司社長大前研一，以使用巨大方格筆記本而聞名。即便到現在，他也還是使用在麥肯錫時期特別訂製的A2尺寸（A4用紙，2×2＝4張並列尺寸，如報紙全開的大小）的巨大方格紙。

從客戶的顧問諮詢到與員工開會，他總是攤開那巨大的方格紙，一邊對話，一邊將解決問題的點子逐步寫到方格紙上。

大前研一說：「我工作時使用藍色的方格紙記筆記、構思想法。在那張方格紙由左下到右上角，寫下重點。一邊傾聽客戶的話，一邊按照這樣的方式做筆記，寫到方格紙的右上角時就完成了金字塔型結構，導出結論。」

大前研一做筆記的秘訣就是：「使用巨大方格紙」「一頁只寫一個主題」「順著左下到右上的方向書寫」「在現場就導出結論」。

大多數的外商顧問們就是這樣使用方格筆記本，在現場就引導出解決客戶問題的點子。

※出自《思考的技術》（大前研一著，中譯本由商周文化出版）

世界頂尖菁英都在用的「黃金三分割法則」

東大生的筆記本、麥肯錫的「麥肯錫筆記本」，同樣爲外商顧問公司的埃森哲顧問公司使用的「重點表單」（Point Sheet），以及最常被全美知名大學或研究機構使用的「康乃爾筆記本」，這些筆記本有共同的「架構」，那就是**「黃金三分割法則」**。

他們的邏輯思考，可說是貫徹「黃金三分割法則」而養成的。

康乃爾筆記本預先將筆記本畫分爲三個部分：「筆記（板書）」「線索（察覺點）」「歸納（摘要）」。大多數東大生都將筆記本攤開兩頁作爲一個開頁使用，左頁寫「板書」，右頁寫「線索」與「摘要」，跟康乃爾筆記本的架構完全一樣。

麥肯錫顧問公司採用「天空、下雨、帶傘」的概念，埃森哲顧問公司則使用「重點表單」。外商顧問們皆以「事實」→「解釋」→「行動」的三分割法展開思考。

從東大生乃至全美知名大學學生的筆記、外商顧問的筆記幾乎是相同的架構：

「事實＝板書」

「解釋＝察覺點」

「行動＝歸納」

眞令人驚訝。讓頭腦變聰明的「架構」，竟然是世界通用的。

接下來就詳細看看頂尖菁英筆記的具體內容。

◇【法則1】東大生筆記

東大生筆記的特徵，在於「右側的空白空間」。

大多數人會將筆記本攤開兩頁作爲一個開頁使用。「右頁」會預先留白，左側書寫板書，右頁的左半部寫下老師的評論或是自己的察覺點、疑問點，右頁的右半部則寫下解決疑問點所需之行動，並歸納筆記內容。

「寫來滿足自己」的筆記本，特徵就是沒有留白。然而，留白是「思考的空間」。我們常說學校學習的重點在於課後複習，在商場也一樣，寫完筆記之後才是重點，而留白在那之後扮演重要的角色。

「右側的留白空間」，與外商顧問方格筆記本的書寫方式具有共同的特徵。商務筆記的構造是左側整理現狀、事實，右側則整理要點，寫下與結果相關聯的行動。

■東大生的筆記

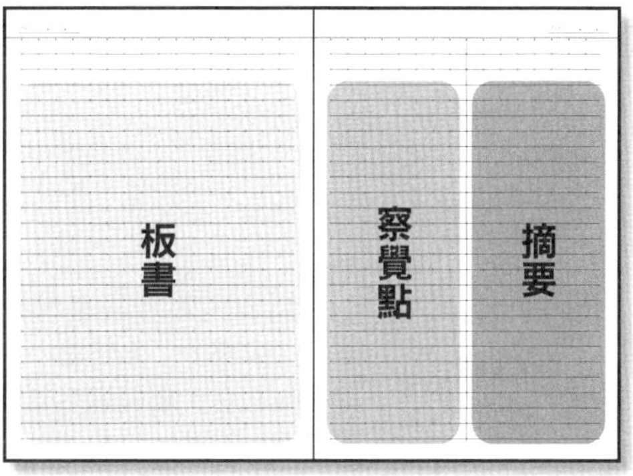

筆記本攤開兩頁作為一個開頁使用，只寫一個主題。活用右側留白處的人，就能掌握學習的關鍵

◇【法則2】全美名校大學生的「康乃爾筆記本」

康乃爾大學是常春藤盟校成員之一，世界大學排名前10名以內，也是美國首屈一指的知名大學，其心理學系所開發出來的筆記本，就是「康乃爾筆記本」。

「康乃爾筆記本」被稱爲「最佳筆記系統」，是美國的知名大學與眾多研究機構皆引進的筆記系統。

康乃爾筆記本的筆記內頁預先畫分爲「三個部分」，分別爲「板書」空間、左側的「察覺點空間」跟最下面的「摘要空間」。這個筆記本的結構能夠讓使用者自然地養成「板書」→「察覺」→「摘要」的順序做筆記。

■康乃爾筆記本

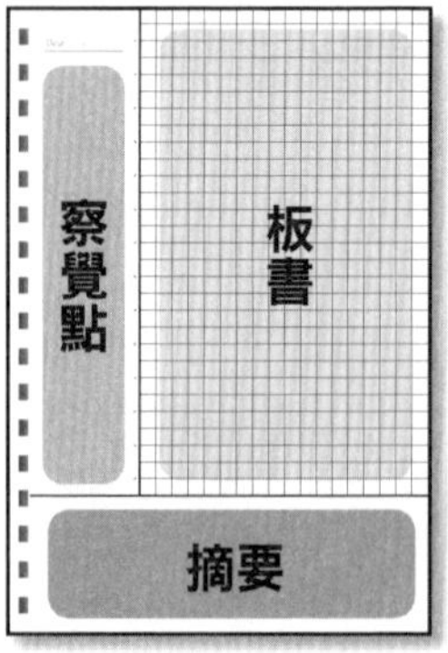

筆記本內頁預先畫分成「三個部分」為特點，是美國知名大學與眾多研究機構皆引進的筆記法。

◇【法則3】埃森哲的「重點」筆記本

世界最大的外商顧問公司埃森哲使用的「重點」筆記本也有共同之處。

方格的橫線與直線是淺綠色。內頁畫分爲三個部分：上＝標題，左＝要點，右＝行動。

左側空間寫下要點，然後寫下每個要點個別所需的行動。右側空間則須寫出「誰？何時之前？做什麼？」的具體行動。

透過「要點→行動」的流程，由左到右順暢地統整資訊，因此任何人都可以清楚了解「爲何採取那個行動」，而能夠迅速做出具體行動。

■埃森哲的「重點表單」

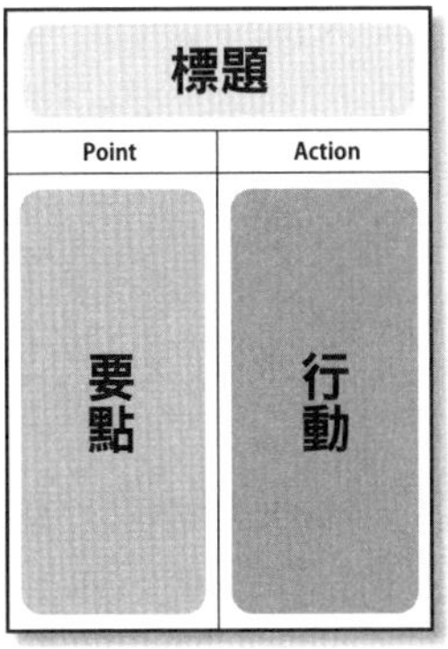

埃森哲利用這個重點表單管理文件，甚至以此製作行動計畫，應用範圍廣泛。

◇【法則4】麥肯錫的「天空、下雨、帶傘」三原則

麥肯錫的顧問有個貫徹執行的架構，那就是「天空、下雨、帶傘」原則。

如《爲何麥肯錫的人即使是年薪一億也要辭職？》的作者田中裕輔所述，「麥肯錫對公司員工灌輸對任何事物都依循著『天空、下雨、帶傘』的思考原則」。

所謂「天空、下雨、帶傘」的原則，就是透過「天空＝現在的狀況」「下雨＝對於狀況的解釋」「帶傘＝依據狀況的解釋，決定應採取何種行動」進行判斷。

首先，抬頭看天空。然後發現雲象有點奇

■麥肯錫的「天空、下雨、帶傘」原則

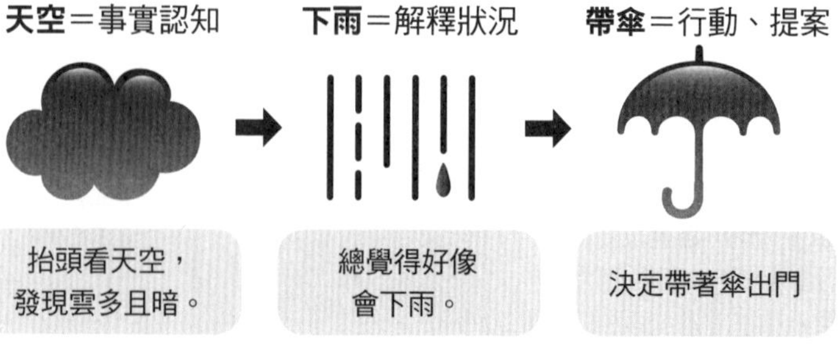
天空＝事實認知
下雨＝解釋狀況
帶傘＝行動、提案
抬頭看天空，
發現雲多且暗。
總覺得好像
會下雨。
決定帶著傘出門

怪。解釋爲「總覺得好像要下雨」。依據解釋，判斷應該「帶傘出門」。這就是「天空、下雨、帶傘」原則。

聽到這裡，你可能會覺得：「什麼嘛，這不是很簡單嗎？」然而，正因爲大家覺得「理所當然」，最終反而沒有實踐。

達文西曾說：「簡單是細膩的極致。」

「天空、下雨、帶傘」則是麥肯錫的顧問貫徹執行之「思考的模型（架構）」的原則，將原則的本質轉化爲身體的一部分，是簡單且極致的思考方法。

■麥肯錫的「天空、下雨、帶傘」原則

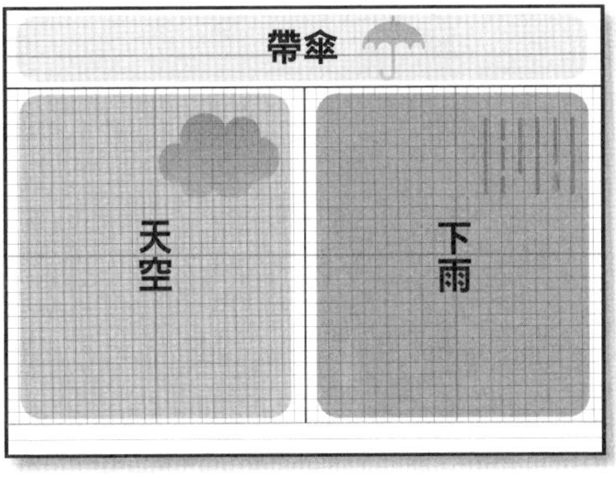

麥肯錫顧問貫徹之「思考與傳達的模型」。雖然簡單，然其本質意涵深厚。

◇你也可以做到「黃金三分割法則」！

你是否已經理解，從東大生到外商顧問，從學習到工作，需要高度知識生產的世界頂尖菁英所實踐的黃金法則就是「黃金三分割法則」了呢？

簡單來說，會讀書跟工作能力強的人，從學生時代開始就持續使用「黃金三分割法則」做筆記，進入社會、成爲職場第一線積極且活躍的社會人士之後，更加深入琢磨「黃金三分割法則」。

這與「始於型，終於型」的武術概念是相同的。**於學生時代應用「黃金三分割法則」這個思考模型，乃至於職場的最前線也持續琢磨，終將能成爲專業的知識工作者。**

只要使用方格筆記本，你也可以自然而然地學習「黃金三分割法則」的思考模型。如果能夠運用「黃金三分割法則」進行思考與傳達，便可以短時間內整理自己的想法，並將之淺顯易懂地傳達給任何人，成爲卓越的專業知識工作者。

「橫向」使用方格筆記本，能瞬間掌握要點

你是以哪個方向使用筆記本呢？「縱向」？還是「橫向」？

實際上，用不同的方向使用筆記本，資訊的理解速度會有所不同，學習與工作的效率也會有大幅度的變化。

外商顧問的思考模式並非「見樹不見林」，而是「見樹且見林」。他們能夠在掌握整體圖像（林）的同時，抓住要點（樹）思考。

要達到這種水準，前提是要「橫向」使用方格筆記本。

爲何不是縱向，而是「橫向」使用呢？那是因爲**人的思考受到「眼睛構造」的影響**所致。人類的「眼睛」是左右、橫向排列，因此比起縱向，橫向紙張的視野較爲廣闊。

這樣說來，電視與電腦的畫面全部都是「橫向」，對吧？如果電腦的畫

面是縱向排列，你是不是覺得非常不協調呢？電影的字幕也是「橫向」，因此即便是那樣大尺寸的字幕，也能整體映入視野之中，而且，正因爲字幕是「橫向」排列，無論只看部分或看整體，都可以理解一連串的故事。

人類的思考受到「眼睛結構」的影響。映入視野的是「橫向」的架構還是「縱向」的架構，資訊的掌握或是理解速度也會有顯著的不同。

所涉及的問題越複雜、資訊量越龐大，越是需要掌握整體圖像，瞬間找出要點的能力。隨著學習或工作的層次越高，「見樹且見林」的思考方式就越重要。

此時，要點就在於讓視野廣闊、能瞬間抓住筆記的整體圖像。關鍵即爲筆記的書寫方向。

這就是無論是誰都可以「讓頭腦變好」的秘訣。出乎意料的簡單，對吧？不過，如同電視、電腦的畫面，使用「橫向」且「好閱讀」的筆記習慣會影響你的人生，將左右你學習、工作與今後的知識生產活動。

現在就把你的筆記的方向從縱向改爲「橫向」，實際去體驗視野一口氣變寬廣的感覺吧。

■電視、電腦與電影的螢幕每個畫面都是「橫向」。

我們日常生活是從「橫向」的畫面接收並彙整資訊。

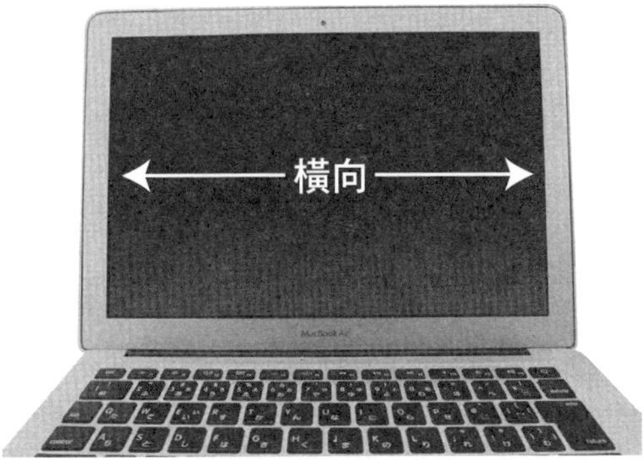

A4尺寸筆記本

◇「小筆記本」無法整理想法

當我舉辦筆記技巧的進修講座時，很多學員都表達了以下困擾：

「整理想法相當費工夫。」

「邏輯思考煞費苦心。」

「我不善於簡潔地傳達訊息。」

這時，我一定會問：

「你是否使用小筆記本？」

在企業舉辦研習講座中，使用A6大小或更小尺寸筆記本的學員不在少數。「爲何使用這麼小的筆記本呢？」我覺得很不可思議，一問之下，大家回答：「以前學生時代是使用校園合作社所販賣的B5尺寸筆記本。但開始工作之後，做筆記的機會明顯減少，便覺得就算不是B5尺寸的筆記本應該也沒差吧，因此，使用的筆記本尺寸逐漸變小。」

他們一定認爲：A6或日誌本尺寸的筆記本，幾乎可以放進任何尺寸的皮包，而且方便攜帶。

你使用多大尺寸的筆記本呢？

「筆記本的尺寸，就是思考的範圍。」

如果你想要提高思考能力，現在就立即加大筆記本的尺寸。

對於使用小筆記本的研習學生，我會向其說明：「你一直覺得自己不擅長整理筆記，那只是先入爲主的想法。眞正的原因，是沒有使用足夠大小的筆記本來彙整想法。沒錯，你長期以來使用的**筆記本是問題的源頭**。」並當場給他一本A4尺寸的方格筆記本，讓他實際感受不同尺寸的筆記本如何讓思考方式改變。

◇商務標準是A4尺寸

外商顧問基本上都使用「A4尺寸」進行資訊輸入和輸出，理由非常簡單：

- **輸入的資訊龐大。**
- **可以綜覽所收集的資訊，抓住重點，進而彙整資訊。**

當然，他們是使用A4尺寸的方格筆記本。

爲何是「A4尺寸」呢？可能有不少人認爲「這跟筆記本尺寸沒什麼關係吧？」但筆記本的尺寸是有意義的——

因爲在商務世界，A4尺寸是舉世共通的標準。

外商顧問的方格筆記本是A4尺寸，爲的就是讓日常活動跟正式場合的標準同步。

棒球投手即使是在練習場，也是使用跟正式比賽一樣的球進行練習，職棒大聯盟的投手亦同。

顧問也是同樣的道理。作爲彙整筆記或整理想法的訓練，跟「日常練習與正式比賽同步」的概念相同，無時無刻都使用A4尺寸的方格筆記本。

顧問在進行簡報，也就是輸出資訊時，是使用全球標準的「A4尺寸」。資訊輸出如果是使用A4尺寸，輸入資訊也使用A4尺寸，才容易整合。

使用方格筆記本輸入資訊時，時常是一邊整理資訊，一邊將資訊視覺化，若以設計師爲例，資訊輸入本身就相當於設計草稿。有時，直接將方格筆記本內頁作爲簡報的資料也不足爲奇。

如果說以A4尺寸追求視覺化效果，應該有很多人會聯想到使用PowerPoint製作簡報資料。

最近不僅是商務場合，在大學課堂使用投影片已經是稀鬆平常的事。也就是說，PowerPoint高手無論在學校或工作上都可獲得好評。而使用A4的方格筆記本，你就會自然而然地如使用投影片一般整理資訊。

以此原則不斷地磨練製作投影片的能力，不知不覺中你的投影片製作能力飛躍進步，大獲好評，讓周遭的人談到你時，會說「要做投影片，就找○○○」。

筆記本尺寸以A4爲基本，任何人都可以立刻做到。

你也趕緊養成無論是資訊輸入與輸出都以「A4筆記本爲基本」的習慣吧。

筆記書寫顏色控制於「3色以內」

你是否曾有使用過多的螢光筆，陷入「這個重要，那個也重要！」的窘況？

無論是學習或是工作，有能力的人都善於排列優先順序。

因爲將資訊按優先順序排列，就能夠快速找到要點，集中注意力於重點上，減少不必要的努力便可達到效果，能在最短時間內得到成果。

那麼，該怎麼做才能正確排列優先順序呢？

答案是**「改變做筆記的顏色使用習慣」，這樣就能讓你在每日做筆記時鍛鍊「設定優先順序」的能力**。

最近越來越多人用色筆書寫筆記，但**小心不要被顏色誘惑**。因爲擁有越多色筆，越會使用多種顏色做筆記。

確實，顏色越多，書寫筆記時會覺得愉快。但是，使用過多的色筆，往往會變成「那個也重要！這個也重要！」，最後反而搞不清楚哪個才是重點，無法分辨出優先順序。

爲避免這種狀況發生，做筆記使用顏色分類時，務必遵守「3色以內」的原則。特別是「使用很多色筆」，且「不善於設定優先順序」的人務必一試。

外商顧問公司之中有個不成文規定，就是只在方格筆記本上使用「單色（黑色或藍色）」，確認或意見回饋時使用「紅色」。用黑色或藍色書寫筆記，用紅色作爲「決定的顏色」。也就是說，相當重要或應修正的項目，才使用紅色。

如此，簡單地用顏色區分做筆記，自然而然地會把思考聚焦於重點上，養成能捨棄無意義的資訊的決斷能力，解決問題的速度跟品質也會不斷地磨練提升。

外商顧問之中，有不少人第一次筆記使用「黑色或藍色」。第二次筆記，也就是修改或回饋意見時使用「紅色」。如此，一眼就可看出哪裡有修改過，能立即知道哪裡寫有回饋意見，這也顯示：加快解決問題的速度與筆記技巧習習相關。

東大合格生之中，筆記使用顏色在「3色以內」的人不在少數。

另外，暢銷書《發出聲音唸日語》的作者、以評論家身分活躍於電視節目的明治大學教授齋藤孝也是3色派。

齋藤孝獨鍾自己所獨創研發的三色筆。藍色、紅色、綠色，每個顏色都設定規則，從日常生活的筆記養成習慣，排列資訊的優先順序。

顏色最多3色。

只要做到這點，重新看筆記時，藉由顏色就可以分辨優先順序，或是於大腦中重現做筆記時的狀況，更可提高整理資訊或資訊輸出的效率。

學新聞報導，設定筆記的「標題」

筆記本上方有個空白處，你在那上頭會寫下什麼呢？

大多數人的反應都是：「我沒有注意到那個空白處。」「從來沒想過要在這上頭寫東西。」

偶而會遇到回答「有啊，我有使用喔。」的人，但再仔細問下去，大多數人都是回答：「我是寫標題嗎？」「我有寫上日期啦……」實際上，筆記本上方的空白處幾乎不受重視。

但這個空白處可說是「最重要的空間」，絕不容忽視，聰明人會確實地運用筆記本上方的空白處。

麥肯錫的麥肯錫筆記，也在筆記上方預留了可以寫下標題、要點的空間。

◇你的筆記有寫「標題」嗎？

頭腦好的人的筆記，是經過整理的。

看一眼整理過的筆記，就可以知道哪裡是重點。具體而言就是，這一頁針對一個主題（論點）書寫，結論用「就是這個！」言簡意賅的方式寫出。

能輔助整理筆記，具有引導功能的就是「標題」。

新聞報導雖然用小字寫滿各種各樣的資訊，而且排版錯綜複雜，但當天的重點新聞卻是一目瞭然，這都要歸功於新聞的「標題」。

方格筆記本也是同樣的道理。在筆記本上方空白處寫下標題。例如，麥肯錫筆記本的上方有寫「標題」的空間，因此「這一頁到底想要表達什麼？」一目瞭然。

然而，一般市面上販賣的方格筆記本的上方，並沒有分隔出這樣的空間。因此，如同指南2所說，可以在筆記本內頁上方3到5公分處畫線，分隔出寫標題的空間使用。

依據筆記內頁的內容設定標題，養成在筆記上方寫標題的習慣。**就如同我們無法想像沒有標題的新聞，沒有標題的筆記，將會降低理解的速度。**

寫下標題。僅是做如此簡單的動作，便可爲你的筆記增添附加價值。即便過一陣子再修改筆記，只要看上方的標題空間，可以馬上了

■加上「標題」

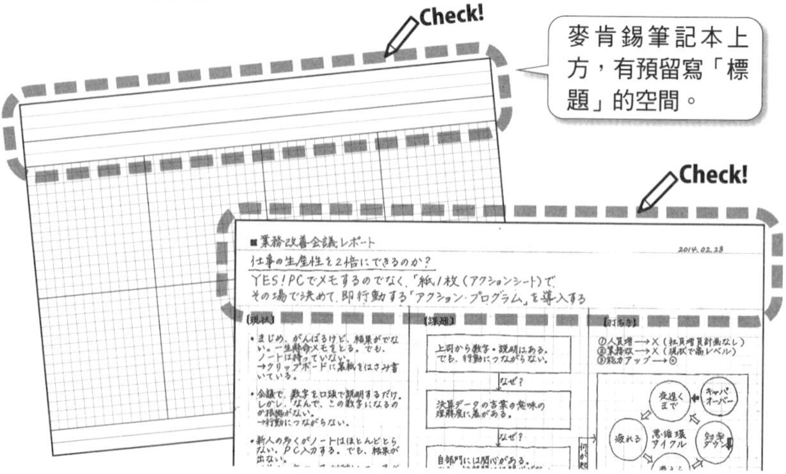

解哪裡寫了什麼，結論為何。筆記是你重要資訊的資料夾、解決問題的資料庫。

◇標題空間應該寫什麼才好？

你是否有被教導過「如何應用筆記本上方空白處」？

大多數的人都沒有被指導過，因此想到什麼就寫什麼，或者什麼都不寫，標題的使用方式驚人地雜亂無章。

如果是學習用筆記，就在標題空間寫下「標題跟要點」。標題就寫

■如同新聞，方格筆記本也在上方空間加上標題。

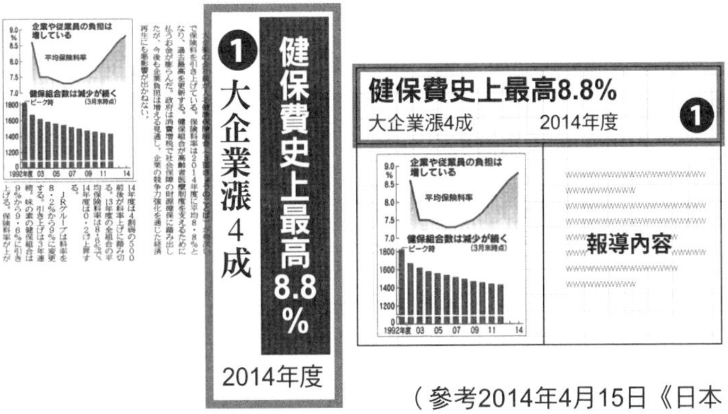

（參考2014年4月15日《日本經濟新聞早報》編輯而成）

上那一頁筆記涵蓋的主題，要點就整理那一頁內容的重點。

例如，以「讓頭腦變好的筆記」爲主題整理標題與要點。標題就如下圖寫在左側，寫完筆記後，將內容整理成1到3行的要點（最多三項）寫在右側即可。如此，回頭看筆記時，筆記的內容是什麼（主題：讓頭腦變好的筆記）？要點爲何？看一眼便可全部掌握。

如果是商務筆記，就寫上「論點跟結論」。例如，跟工作相關、解決問題的筆記，就按照「論點＝問題的核心是什麼？」「結論＝這樣做的話就可以解決問題！」的方式整理。

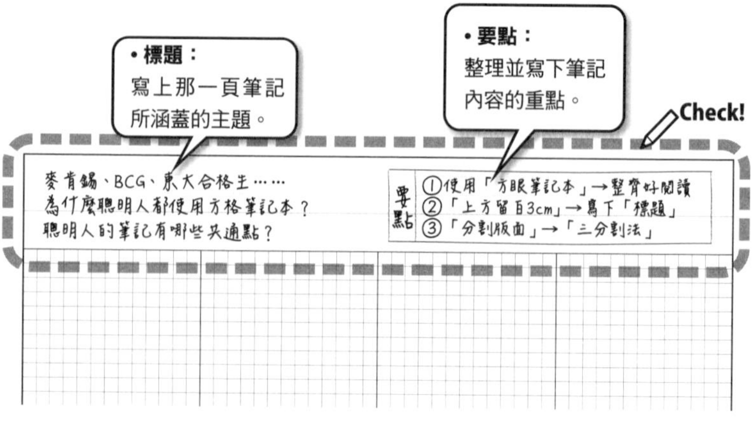
• 標題：
寫上那一頁筆記所涵蓋的主題。
• 要點：
整理並寫下筆記內容的重點。
Check!
麥肯錫、BCG、東大合格生……
為什麼聰明人都使用方格筆記本？
聰明人的筆記有哪些共通點？
要點
①使用「方眼筆記本」→整齊好閱讀
②「上方留白3cm」→寫下「標題」
③「分割版面」→「三分割法」

看一眼標題，就可判斷那資訊對閱讀者是否有價值。只要看筆記上方的標題與要點，馬上可以知道這份筆記對閱讀者而言是否有重要的「問題的核心＝論點」，針對那個論點是否有明確的「結論＝這樣去做吧！」。

透過寫「標題」的筆記習慣，無論是學習、工作，都可以在短時間內有效率地獲得成果。

◇一頁筆記只寫一個主題

新聞報導是由一則報導「針對什麼主題所撰寫的報導？」＝一個主題，以及「想要表達什麼？」＝一則訊息所構成。因此，一條標題便可簡潔地整理資訊。

至今為止，我看過兩萬多人的筆記，但幾乎沒碰過「一頁筆記只寫一個主題」的人。

做筆記時，若還沒寫完一頁主題就結束，大部分的人會只空一行或畫線區隔，並在同一頁開始寫另一個新的主題。如果是你，會怎麼做呢？

如果你至今沒有一頁筆記只寫一個主題的習慣，今後就以「一頁筆記只寫一個主題」爲基本原則做筆記吧。

方格筆記本的優點，並不是讓文章書寫不間斷，而是在於適合繪圖，具備適合「一頁筆記只寫一個主題」的特徵。

另外，若於做筆記的同時寫下「標題」，加上標題的那一刻會意識到終點。也就是說，在寫下標題的同時，你做筆記的方式變成會意識到目的地的筆記法。

以此培養整理資訊能力、統整能力，再加上標題，使筆記的理解度與檢索度大幅提升，你的筆記將會脫胎換骨。

知識補給站

將PowerPoint的製作歸零的密技——「製作PowerPoint的工作外包給印度」

你是否知道麥肯錫跟波士頓顧問公司將PowerPoint的製作業務外包給印度呢？

外商顧問公司的顧問不會一開始就坐在電腦前製作PowerPoint，他們會在方格筆記本寫下簡報資料的草稿，而筆記必須是「可以原封不動地謄寫成電子檔」的狀態，因此內容再三斟酌，從問題意識到結論的結構完整。

然後，只要將此草稿在半夜傳真到印度，隔天到公司時，就可以收到從印度傳回來的精緻PowerPoint資料。

也就是說，這樣的分工架構讓顧問不需要使用電腦，便可製作出PowerPoint資料。

不僅是外商顧問公司，今後企業的企畫負責人、廣告或行銷負責人、業務負責人等經常需要使用PowerPoint製作簡報資料的人，「不需要一開始就面對電腦工作」，或是「將製作PowerPoint的業務外包」的工作模式可能會越來越多。

即便不外包，先使用方格筆記本整理並琢磨想法和簡報內容，後續只要將筆記謄寫成電子檔就大功告成了。

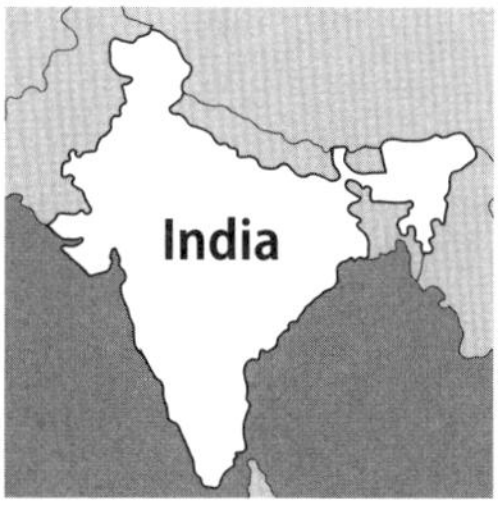

今後，盡可能不要一開始就面對電腦，養成先在方格筆記本上思考、整理想法的習慣。

這樣就可以提高工作的品質，大幅縮短工作時間。

方格筆記本＋「好寫的筆」＝幹勁十足！

以「好寫」的方格筆記本爲優先

如同挑選電腦或智慧型手機，在挑選知識生產的夥伴——筆記本時，也需多加留意。

寫筆記時，要留意所使用的筆在紙上是否好書寫、紙張是否光滑、筆跡油墨是否會滲透到紙的背面、紙張的厚度、筆記本開闔的感覺等。

外商顧問所使用的方格筆記本，好書寫的程度令人驚嘆。

如前所述，麥肯錫顧問公司是使用原創的方格筆記本「麥肯錫筆記本」、波士頓顧問公司則是使用L!FE公司生產的方格筆記本爲辦公用品。

順帶一提，L!FE公司所生產的方格筆記本，價格比一般筆記本稍貴。但你是要吝嗇這「差價」呢？還是要「以好書寫爲優先」呢？

「吝嗇是知識生產的敵人」。比起是否便宜，應該以「好寫」爲優先！

如果你是學生，這差價可能是不小的負擔，但用這小小的投資跟你的對手拉開距離，年收入將在未來產生極大差距，所帶來的價值超乎想像。

因爲越寫心情越好，無論是工作或學習都樂在其中！

如果使用優質紙張的筆記本，筆在紙上能順暢書寫，如踩油門一樣，腦袋的思考速度有一口氣加快的感覺。當你書寫順暢，動力也會逐漸增加。採用優質紙張的筆記本，完全沒有滯礙感和粗糙感，得以寫出漂亮的筆記。

爲何好寫會如此重要？如果筆記本好寫，你自然而然會想要寫筆記。而且透過書寫筆記，也會提高動力。

沒錯，只要使用好書寫的筆記本，寫筆記就會變成「樂事」。讓頭腦有效率運作的關鍵就是「快樂」，當大腦感到快樂時，就可以將能力發揮到極致。當「寫筆記＝快樂」，無論是學習或是工作都會感到愉快，獲得的成果也會不同。創造讓「大腦愉快」的環境，能立即加快知識生產的速度。

以「好寫」爲優先的筆

建議配合好書寫的方格筆記本一起使用的，就是「好寫、順手的筆」。筆記文具也要「以好寫爲優先」。

如果是工作場合，推薦使用PILOT「V-CORN」的「黑藍紅」三色原子筆。這種筆是波士頓顧問公司的必備辦公用品，顧問可以自由取用，在其他外商顧問公司也備受愛用。

不僅是商務人士，對於學習爲本業的學生而言亦同，筆記本、筆記文具是最重要的戰略工具。

學習用的筆記需要書寫詳細，例如：地圖、年表跟生物圖解等。因此，學習用的筆記文具推薦使用PILOT「HI-TEC-C」原子筆。

就像是作家使用特別訂製的稿紙、設計者使用流暢好寫的鉛筆、外商顧問使用方格筆記本跟「V-CORN」三色原子筆一樣，你在進行知識生產時，也應該以「好寫」爲優先。

PILOT的「V-CORN」三色原子筆。

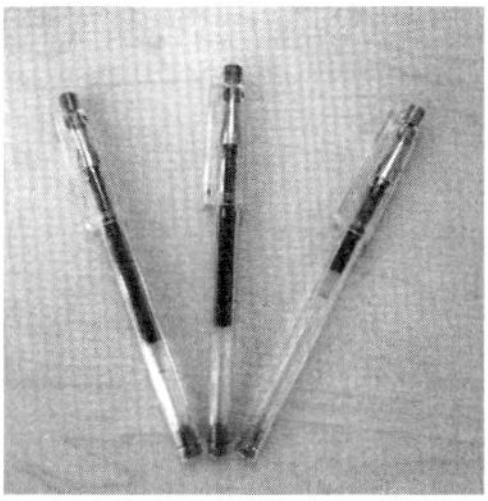

PILOT的「HI-TEC-C」原子筆。

最極致的筆記技巧：一萬張筆記法則

出社會之後，使用電腦的頻率會增加。此時，關鍵之鑰在於能否有效率地分開使用電腦跟筆記本。你是否學過「電腦跟筆記本分開使用的方法」？外商顧問不會一開始就面對電腦，因爲在還沒有掌握事物本質時，就將尚未整理出重點的資訊輸入電腦，根本是白費功夫，不過是讓尚未篩選、整理的資料堆積如山而已。

先將自己的各種想法寫在方格筆記本上，反覆斟酌、推敲，直到「好，這樣應該可行！」的狀態爲止，再將筆記謄寫至電腦裡。

設計者在完稿前，會反覆地畫草稿，提高作品的完成度。寫文案也是一樣，不斷地改寫、反覆思考，令人印象深刻的文案靈感就會出現。

外商顧問也是在方格筆記本寫下無數次的問題意識、解決方案，反覆思索並修改內容。他們認爲「思考就是反覆思索」「反覆修正的同時即爲磨練思考」，最後在架構中畫出的流程，便爲接近完美的完成品。

然而，爲達成此目標，就必須付出**「大量書寫，大量捨棄」**的成本。使用方格筆記本，便可以簡單地書寫並丟棄。相對於電腦，一旦將內容刪除，資料便消失無蹤。反觀方格筆記本，即便丟棄也可以輕易找回來。你不妨也使用方格筆記本，試試「大量書寫，大量捨棄」的方法吧。

在一次偶然的機緣中，我得知頂尖的外商顧問都經歷過「一萬張筆記法則」的洗禮。

顧問在獨當一面之前，一般需要三年的時間磨練。那段期間一天書寫將近十張筆記，在方格筆記本反覆寫下問題意識→改善、解決方案，然後丟棄，一年下來就累積了三千張筆記。三年大約有一萬張筆記。每天不間斷地在方格筆記本上書寫筆記並丟棄，一直到能夠獨當一面。

當然，這一萬張筆記是按照架構做出來的筆記。按照架構的同時，需徹底依循正確的筆記規則，如掌握要點、寫標題、使用三分割法，全心全意地書寫一萬張筆記。

你可能會覺得「要寫一萬張筆記，還眞不容易」。但先從可以做到的地方開始，就不會覺得困難了。

現在起，改變你每天寫筆記的習慣，並依循「大量書寫，大量捨棄」的法則，這樣每天全心全意地持續書寫就行了。

在每天反覆做筆記的過程中，你的筆記會逐漸進化成「有成果的筆記」。每日的學習或工作中，可以達成一萬張筆記的目標。

改變筆記方法，也改變你的思考方式。

一旦思考方式改變，結果也會隨之改變，這結果會建構你的自信心。那是確實且強健的自信，能夠帶領你邁向未來。

改變筆記方法，未來的你會有巨大的改變。

5分鐘內搞懂！

指南2 讓頭腦變聰明的筆記基礎和方法

你是否已經理解東大合格生跟外商顧問，這些聰明人的筆記共同點在於：「整齊外觀」「標題」「三分割法」，這三個要素了呢？具體而言：

〔法則1〕**空格跟第一行對齊**。使用圖表，讓筆記整齊好閱讀。
〔法則2〕在筆記本上的3到5公分的空白處**寫上「標題」**。
〔法則3〕用事實、解釋、結論的**「黃金三分割法」**做筆記。

這三個要素是「讓頭腦變聰明的筆記三法則」，缺一不可。如果使用方格筆記本，便可輕易達成這「三個法則」。

讓頭腦變聰明的筆記三法則！——「思考的輔助線」幫助你輕鬆達成！

如果使用方格筆記本，便可輕易達成這「三個法則」。

整齊外觀

方格筆記本可以依照自己喜歡的方式分配空間，能完美配置圖表位置。另外，依循筆記本的方格子，任何人都可以輕易手繪圖表。

標題

一般的白紙或橫線筆記本，上方 3 到 5 公分的空間往往是固定的。如果是方格筆記本，只要在上方 3 到 5 公分處畫出標題線，便可簡單區隔出標題的空間，提高筆記整體視覺感，有效利用整頁筆記的空間。

三分割法

若為 A4 大小，使用橫向一頁。若為 B5 大小，則兩頁打開跨頁使用，讓視野更廣闊。左側書寫事實或板書，由左到右依序為解釋、行動（歸納）。也就是依據「左側」的資訊，在「右側」展開自己的想法，為完整的筆記架構。

若具備「整齊外觀、標題、三分割法」的法則，就能夠創造出提高理解速度，且具備高度重現性的筆記。如同新聞報導，一展開便可馬上理解內容（整齊外觀），標題＋訊息的呈現，能立即掌握重點（標題）；邏輯＋內容讓你感受到閱讀價值（三分割法）。

讓頭腦變聰明的筆記應用指南

讓頭腦變聰明的筆記之基本構造

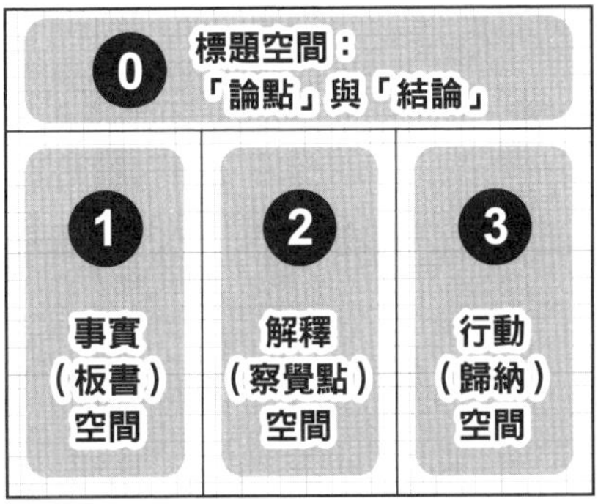

0 標題空間
一頁一個主題，簡潔地整理出論點與結論。

1 事實（板書）空間
依據事實思考，徹底執行基本原則。

2 解釋（察覺點）空間
掌握本質，整理重點。

3 行動（歸納）空間
解決問題，寫下能達到結果的行動項目。

兩個基本模式與變化例

學習筆記
工作筆記

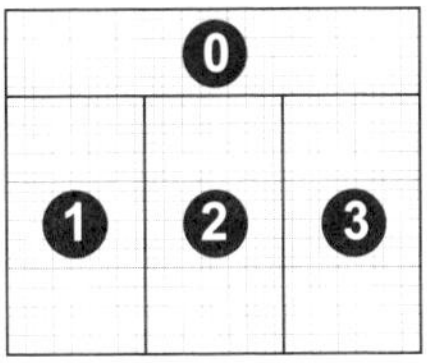

為提高學習與工作理解速度的基本模式。

決勝筆記
（簡報筆記）

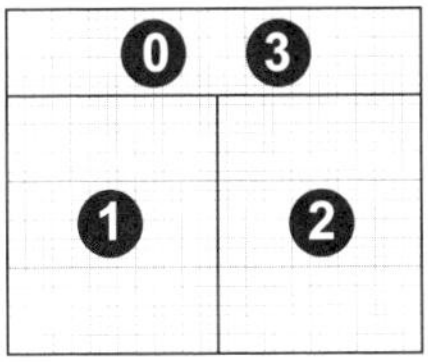

現場描繪出說服對方的圖表的基本模式。

能當作思考點子的草稿用紙！

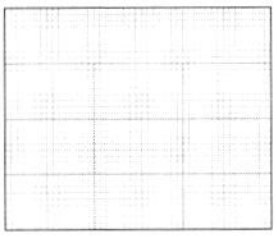

能當作故事分鏡靈活應用！

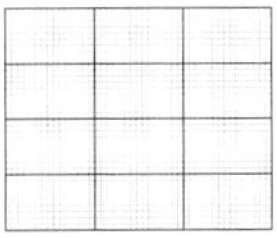

Point 1 可以留白

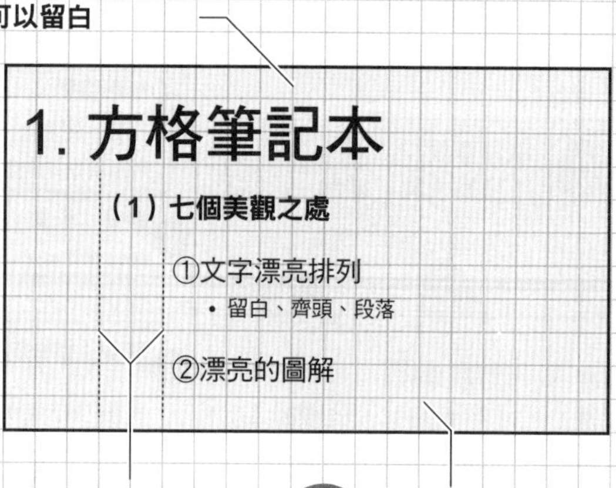
1. 方格筆記本
（1）七個美觀之處
①文字漂亮排列
• 留白、齊頭、段落
②漂亮的圖解

Point 2 句首與段落對齊！

Point 3 書寫易閱讀的文字！

Point 4 製作圖表易如反掌！

方格紙又稱為圖表用紙，可以簡單正確地畫出圖表。利用筆記本上的橫線與直線作為輔助線，繪表製圖得心應手。

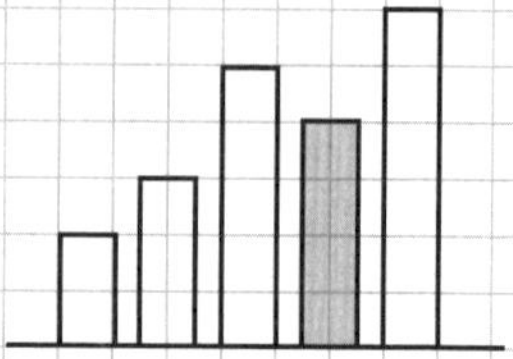

Point 5 可手繪漂亮圖解

只需要沿著方格的橫線與直線畫圖，即便不擅於繪畫，也可以描繪出漂亮的圖解。

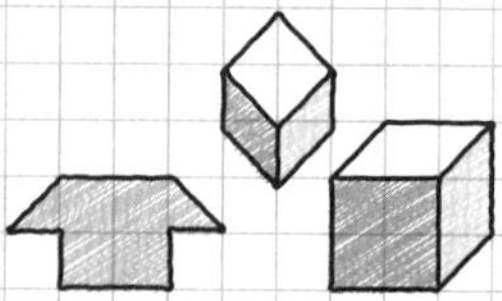

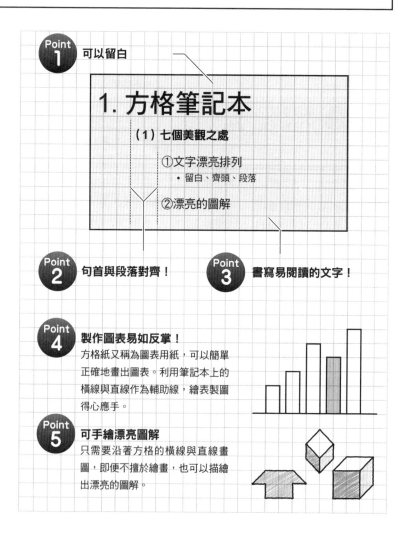

方格筆記本的7大功能協助完成「精緻的筆記」

Point 6 簡單配置出漂亮的邏輯式圖解！

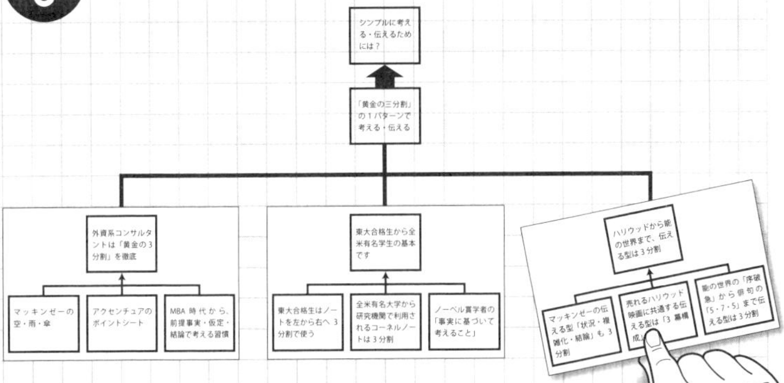

Point 7 可以當作故事分鏡圖使用

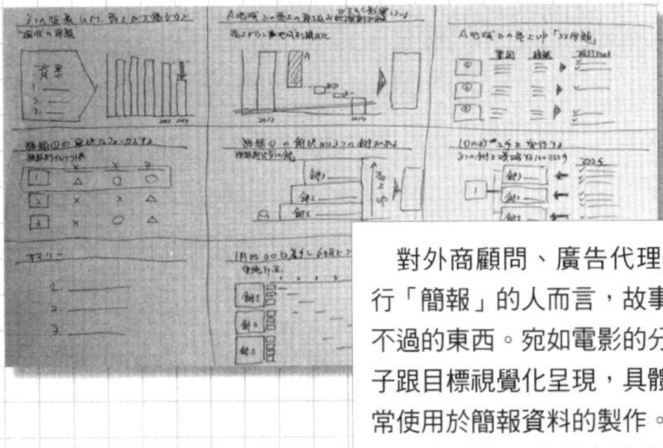

對外商顧問、廣告代理商，或需經常進行「簡報」的人而言，故事分鏡圖是再熟悉不過的東西。宛如電影的分鏡圖，可以讓點子跟目標視覺化呈現，具體傳達效果佳，經常使用於簡報資料的製作。

以方格筆記本的方格作為輔助線，光只是畫出分隔線，就可以讓方格筆記本進化為故事分鏡圖。

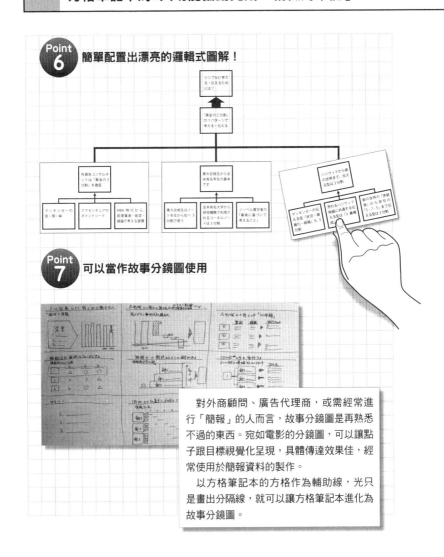

簡單三步驟
製作「讓頭腦變聰明的方格筆記本」

Step 1 準備好5mm的方格筆記本

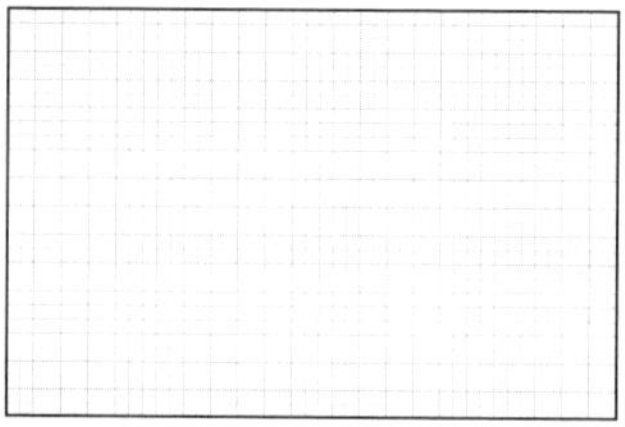

準備好「外觀整齊」的方格筆記本。

A4尺寸
以上
好寫為
優先！
書寫顏色為
3色以內！

Step 2 畫出標題線

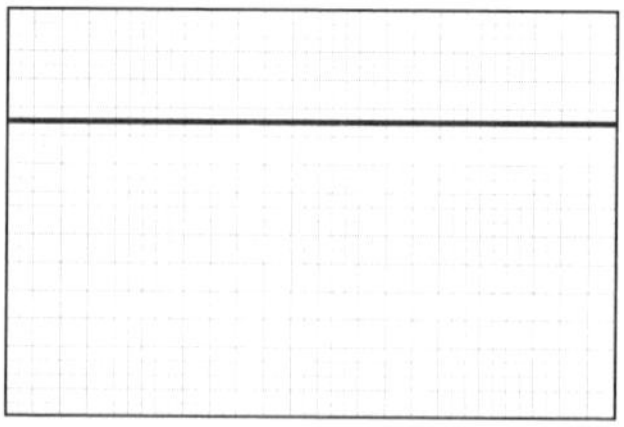

在3到5公分處畫出標題線，作為標題空間，下方為筆記空間。然後於標題空間上方約1.5公分的地方畫線，標題空間的上方為「論點」，下方為「結論」。

Step 3 畫出三分割線

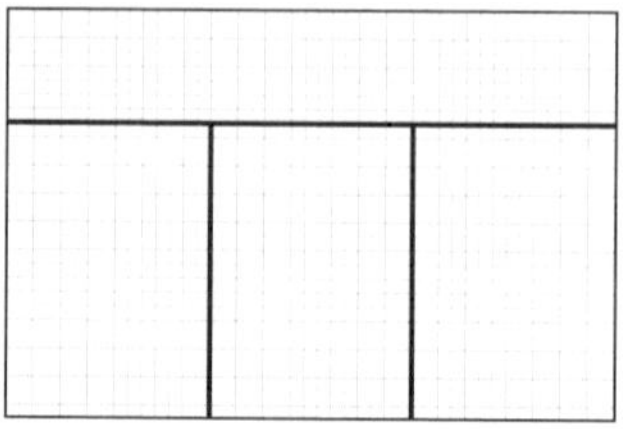

畫兩條線，將下方的筆記空間切割為三等分，這樣黃金三分割的空間就完成了。

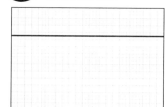

第3章

人生基本功——掌握「學習筆記」的精髓！

筆記本的三大秘密功能

你是否記得「第一次使用筆記本的日子」呢？

進入幼稚園時使用繪畫本或塗鴉本，上小學時變成用學習筆記，開始認眞地使用筆記本。

大概是從小學三年級到四年級左右開始，要準備私立國中入學考試的學生，會與筆記本有密切的接觸。進入國高中之後，在學校的學習逐漸不足，開始上補習班……

上大學之後，筆記本作爲製作報告的基礎材料，重要度日益增加。

出社會開始工作之後，筆記本必須進化成策略性工作的利器。

看似簡單的筆記本，依據不同的人生階段，需求也會有所變化。

筆記本是陪伴人們一生的夥伴，但面對不同的狀況或人生階段，筆記本扮演的角色、功能的優先順序也會有微妙的不同。

意識到這個事實，在不同的時間點使用不同的筆記方法，或者是使之進化，是重要的技巧。

讓我們再次回到原點，思考筆記本身具備的功能。

你是否知道**筆記本有「記憶」「思考」「傳達」三大功能**呢？

筆記本必須在任何狀況下都發揮這三大功能。只是，依據不同的人生階段或不同的功能需求，必須有意識地分開使用不同的筆記技巧。那是最有效率、最能獲得期望成果的筆記本使用方法，也是最能充分發揮筆記功能的方法。

以下詳細分述筆記本三大功能的內容。

①記憶筆記

為記憶並理解課堂、討論發表會或自習的內容，並強化記憶於腦袋中所整理出來的筆記。本書將此類筆記稱爲**「學習筆記」**。

②**思考筆記**

如工作場合，掌握事物本質，理解重點並引導出結論所整理出來的筆記。本書將此類筆記稱爲**「工作筆記」**。

③**傳達筆記**

從令人眼花撩亂的資訊當中篩選出對方需要的資訊，整理成簡潔易懂的內容，提出符合對方期望的改善與解決方案，爲說服對方所整理出來的筆記。本書將此類筆記稱爲**「簡報筆記」**或**「決勝筆記」**。

以下將分別針對「學習筆記」「工作筆記」「簡報筆記、決勝筆記」，說明各種筆記的技巧。

本章首先介紹「學習筆記」的詳細內容，一起來掌握其精髓。

其實，「學習筆記」並不是只有學生才會用到。即使成爲社會人士，挑戰證照考試、公司內部升遷，甚至是職涯發展的進修學習、社區大學等有志於終身學習的人也很多。「學習筆記」對於有這樣需求的人很有幫助。

另外，「學習筆記」某種程度上是筆記技巧的基礎。如果能精通「學習筆記」技巧，也能輕鬆駕馭第4章「工作筆記」、第5章「簡報筆記」的技巧，必然事半功倍。

掌握「學習筆記」的第一步，先改掉「將黑板一字不漏照抄」的習慣

任何人都期望「更有效地學習」，更不用說入學考試迫在眉睫的考生，或是必須撰寫畢業論文的學生等，想提升學習效率的期望一定更強烈。

你認爲掌握提升學習效率的關鍵是什麼？

早起、趁頭腦清晰的時候念書，善用通勤等零碎時間，學習如速讀法或記憶法等能有效率使用大腦的技巧……這些方法好像都有效果。

但在這些方法之外，有個掌握提升學習效率的關鍵，那就是改掉「將黑板一字不漏照抄」的筆記習慣。

「只要將老師寫在黑板上的內容全部抄寫下來即可」，這種做筆記的方法只能用到13歲。也就是說，升上國中之後，就從這種筆記方式畢業吧。

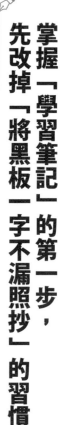

爲何這麼說？**因爲這種做筆記的方式就像是「板書機器」，只是單純地將黑板上寫的東西一字不漏抄寫下來，無法有效地記憶，而且因爲不理解內容，無法有效地利用筆記。**

你是否有這樣的經驗？集中精神聽課，拚命抄筆記，覺得自己很用功、很滿足。然而，過一陣子回頭看筆記時，卻不知道「筆記上在寫什麼」。即使花了很多時間念書，考試成績卻遲遲沒有進步……如果你也是如此，那就立刻告別「將黑板一字不漏抄下來」的筆記習慣吧！

◇從13歲開始寫「讓頭腦變好的筆記」

結束「將黑板一字不漏抄下來」筆記習慣的最佳時期，是進入國中的時候。若有機會在進入國中階段就學會筆記技巧，是最理想的。

如前所述，截至目前我有幸看過兩萬多人的筆記，舉辦無數場「筆記技巧研習會」，但是在參加研習會之前學習過「做筆記的技巧、運用自如的方法」的人少之又少，幾乎是沒有，大部分的人都沒有認知到筆記的重要性。

而我在此斷言，如果沒有掌握學習的方法，即使再怎麼努力，也無法提高獲得成果的機率。重要的是，正確並有效地掌握學習方法，而其中最基本的就是掌握筆記技巧。

如果你已爲人父母，可以將正確的做筆記方法傳授給你的孩子，如果你是老師或補習班講師等教育界人士，請務必將做筆記的方法教授給你的學生。**只要改變筆記方法，學習就會變得有趣，孩子就會變得喜歡學習。「讓孩子變得喜歡學習」，這不就是大人最大的願望嗎？**

具體而言，首先給他一本方格筆記本，或是提供他選擇方格筆記本的意見。其次，將方格筆記本的筆記技巧一一教給他。

如果在這個階段學習做筆記的基本功，會是孩子一生的資產，也將成爲改變人生的第一步。

用「空白的一秒鐘」創造「永不遺忘的記憶」

你覺得「記憶」的關鍵之鑰是什麼？

以背誦英文單字爲例。你是用反覆抄寫來記憶嗎？很多人會說：「不，抄寫會花很多時間，所以用看的方式背誦。」「不，使用五種感官比較容易熟記，因此唸出聲來背誦。」其他還有各種強化記憶力的方法。

你會選擇哪種方法呢？其實，這並不是重點。

掌握記憶的關鍵是「眼睛的使用方法」。

只要改變「眼睛的使用方法」，即可強化「大腦記憶體」。

只要寫過一次「讓頭腦變好的筆記」，就可以創造出「永不遺忘的記憶」。

如果眞有這樣夢幻般的筆記方法，你是否願意試著相信一次呢？

◇創造一輩子不忘的「大腦記憶體」

如果你至今的筆記，都只是把老師寫在黑板上的內容原封不動抄下來，現在開始就改變你抄寫時「眼睛的使用方法」。

將至今的筆記方法：

×看黑板↓抄寫筆記

⇩

改變成下述的筆記方法：

◎看黑板↓烙印於腦海中

↓不看黑板，將烙印在腦袋中的內容重現於筆記上

不要一邊看黑板，一邊一字不漏地抄寫，而是在「黑板↓抄寫」這段期間創造「烙印於腦海中的一秒鐘」。

我將這一秒鐘稱爲**「空白的一秒鐘」**。

只要擁有這一秒鐘，你的筆記就會進化成讓頭腦變好的筆記。

反覆使用這個方法，習慣了之後，你看到黑板的瞬間，就會自動將圖像烙印在腦海中，可以在「空白的○．○一秒」左右抄寫在筆記上。

再者，令人驚奇的是，這個「眼睛使用方法」能強化「大腦記憶體」。

剛開始，你可能覺得這個方法需跨越的障礙有點高，這時你其實應該感到高興。**因爲當你感覺到有障礙時，正是你的腦袋正在開拓新的高速記憶體的證據**。

「空白的一秒鐘」日積月累，你會確實建構出永不遺忘的記憶，不斷擴大「高速記憶體」，你正在蛻變成金頭腦。抱持著期待與自信，就從今天開始，藉由「空白的一秒鐘」讓自己進化，擁有「永不遺忘的記憶」，勇敢地踏出第一步吧。

跨頁，一個主題

「黃金三分割法」是方格筆記本的基礎使用方法。

但是，學習筆記跟後面將介紹的工作筆記與簡報筆記，有個很大的差異點。工作筆記與簡報筆記，大多是將A4尺寸方格筆記本的橫向一個頁面畫分爲三個區間使用，而學習筆記本則建議使用B5或A4尺寸的方格筆記本攤開兩頁使用。

理由在於，使用學習筆記時，需要學習的知識與資訊龐大，筆記內容時常無法壓縮在一張橫向A4紙上。一堂課約爲50到90分鐘。要將課堂教授的內容濃縮在一個空間，至少需要兩個頁面。

爲避免做筆記時一直掛念著是否會寫到一半空間不夠，因此一開始就準備兩頁的空間書寫筆記。

若將A4或B5的方格筆記本攤開兩頁使用，就會有足夠的空間書寫筆記。使用這個空間盡情發揮、大展身手吧。

在這個廣闊的跨頁上使用黃金三分割法。

首先，在上方3到5公分的空白處作爲書寫「標題」與「要點」的空間。「標題」就寫上課程的主題，「要點」就歸納筆記的重點。

之後回頭再看筆記時，只要看標題空間，筆記的主題與要點一目瞭然。

例如，在考試之前，複習筆記的重點，然後只要針對有點不明白的地方重點複習，就會是有效率的考前衝刺策略。

■以攤開兩頁書寫學習筆記

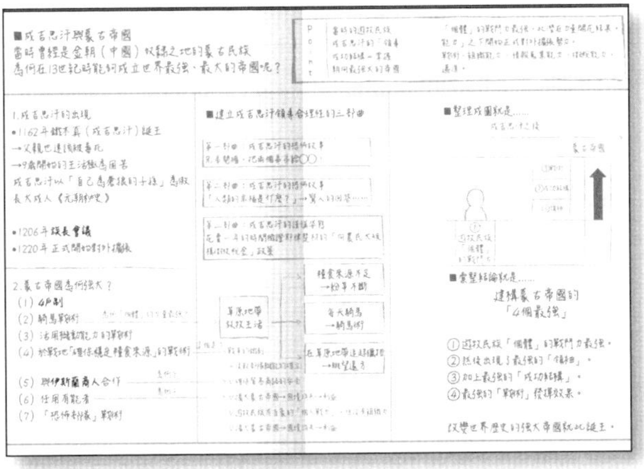

使用攤開兩頁時，其黃金三分割配置方式，是將跨頁的橫向空間由左頁至右頁並列畫分爲三等分。

這三個空間由左邊開始依序爲「板書空間」，中間的「老師的評論、用自己的話改寫＝察覺點空間」，右邊爲「消除問題點、歸納空間」。

在方格筆記本上畫分隔線，預先畫分成三等分，便可簡單地用「黃金三分割法」做筆記。

控制了「中央空間」的人，就掌握了學習關鍵

「學習筆記」的核心，就是**方格筆記本正中央「中央空間」的使用方式**。

學習筆記的「中央空間」，扮演了決定應試、提升工作能力、證照考試、升遷考試等學習品質好壞的重要角色。

這正是所謂的「控制了中央空間的人，就掌握了學習關鍵」。

中央空間書寫老師的評論，用自己的話書寫「察覺點空間」。

以歷史課爲例。在課堂上，將老

■掌握學習之鑰的「中央空間」

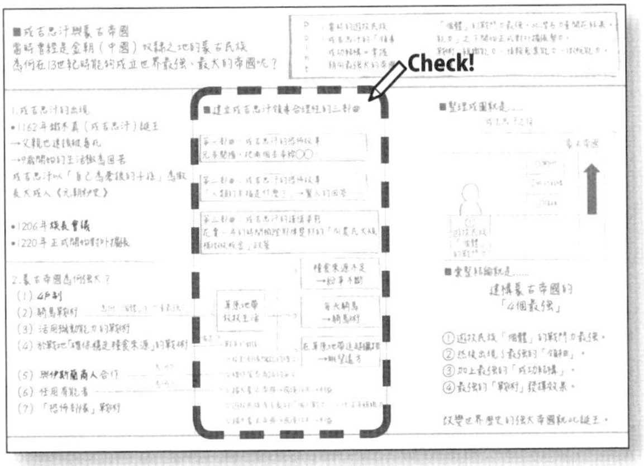

師的板書書寫至筆記本左側空間，在老師寫板書或講解時，若出現讓你感到「咦！」的察覺點或問題點，就寫在「中央空間」。

這個「察覺點」，就是將老師所說的話變成自己的東西。是否有「察覺」到重點？如何將「察覺」到的東西展開至「中央空間」？如何彙整？透過這樣的思考過程，你的學習成果會有大幅度的改變。

「敏銳的孩子大有可為」，是真的嗎？

俗話說「敏銳的孩子大有可爲」，意思是「察覺能力」是顯示頭腦聰明與否的氣壓計。「察覺」固然重要，但光憑「察覺」是無法提升成績的。重點在於察覺到之後做了什麼。

察覺到之後，是否能將「察覺」到的東西故事化。這個關鍵，決定了是否能夠成長、獲得成果。

這個原則也適用學習以外的範圍。即使是工作，有的人「察覺」之後就結束了；有的人則是將「察覺」到的東西故事化，連結行動與結果。這樣的差別，讓兩者之間產生極大差異化，而這樣的差異在往後會持續擴大。

無論是學習或工作，能否將「察覺」到的東西故事化，是成爲「有能力的人」的必要條件。

我透過筆記指導講座，看了許多人的筆記，有時會遇到讓人眼睛一亮的筆記，讓人有「這個筆記不一樣！」的驚喜，那是「展現出臨場感的筆記」。看到那筆記的瞬間，重點會自然映入眼簾，宛如漫畫般展開故事，傳遞出寫筆記當時熱騰騰的氣氛與動力。

頭腦好的人，所寫的筆記是有「故事」的。只要再次閱讀筆記，就可以重現出書寫筆記當時的狀況。

今後的你，就是要寫出這樣理想的「學習筆記」。

將「察覺點」故事化的致勝關鍵，在於「邏輯連接詞」

讓「學習筆記」變成理想筆記的決定性因素之一，是前面講述過的中央空間使用方式。

另一個決定因素則是「邏輯連接詞」。

邏輯連接詞即為展開理論（邏輯）時使用的連接詞。在將中央空間「察覺點」故事化之際，邏輯連結詞會發揮很大的功能。

邏輯連接詞有兩個活用要點：

①用適合自己的「邏輯連接詞」。

②「邏輯連接詞」與「三個箭頭」搭配使用。

①用適合自己的「邏輯連接詞」

頭腦聰明的人，一定都用「自己的話」來表達。

選擇詞彙時，要養成習慣，選擇與自己投合的詞彙。正如選購襯衫與西裝時一定要試穿，選擇適合自己的「邏輯連接詞」，於筆記中推展邏輯，將察覺點故事化。

例如，想要使用「爲什麼」這樣的詞彙時，比起「爲什麼」，有的人使用「不知爲何」的詞彙較有助於推展思考，也有的人使用「究竟

■邏輯連接詞的種類與用途

目的	邏輯連接詞	用途
歸納	總括來説， 簡言之， 意即，	與歸納的箭頭配合使用，效果最佳。整理、彙整截至目前的筆記內容時所使用的連接詞。
推展	為什麼呢？是因為…… 具體而言？ 所以，具體而言？	探求理由或原因時使用「為什麼呢？是因為 ......」，具體化解決方法時使用「所以，具體而言？」推展故事。
強調	其實…… 重點為……	配合強調的箭頭使用，效果最佳。使用人型圖跟對話框，用人型圖寫出「其實」也有不錯的效果。
轉折／改變觀點	如果…… 如果是那個人的話……	轉變視點，尋找新點子時使用的連接詞。

是爲什麼呢？」「怎麼會這樣呢？」「爲什麼呢？那是因爲……」等邏輯連接詞會較爲合適。

那麼，該怎麼做才能找到最適合自己的邏輯連接詞呢？那就是「試用」詞彙，「在心中默唸詞彙，用身體去感受」。

首先，在心中默唸挑選出來的候補詞彙，就會馬上知道這個詞彙是否適合。若是不適合自己的詞彙，會有微妙的不協調感。

如果使用適合自己的邏輯連接詞，可以加速頭腦的思考速度；相反地，使用不適合自己的邏輯連接詞，頭腦則無法正常運作。

就像穿著自己喜愛的衣服，在做筆記時，也使用適合自己的邏輯連接詞吧。

②「邏輯連接詞」和「三個箭頭」搭配使用。

將「邏輯連接詞」和「三個箭頭」搭配使用，「讓頭腦變聰明」的筆記技巧將會突飛猛進。

光是使用「邏輯連接詞」就可以獲得一定的效果，如果搭配「箭頭」，更可簡單地將資訊或事物與「視覺」和「理論」相連結，推展故事。

作法很簡單。所謂三個箭頭，就是「推展、歸納、強調」。

從板書空間，畫出「推展的箭頭」至中央空間。此時的重點，是在箭頭上寫下「邏輯連結詞」。

其次，從中央空間畫箭頭延伸至消除問題點、歸納空間。這時也在箭頭上面寫下「邏輯連結詞」。

■三種箭頭的使用方法

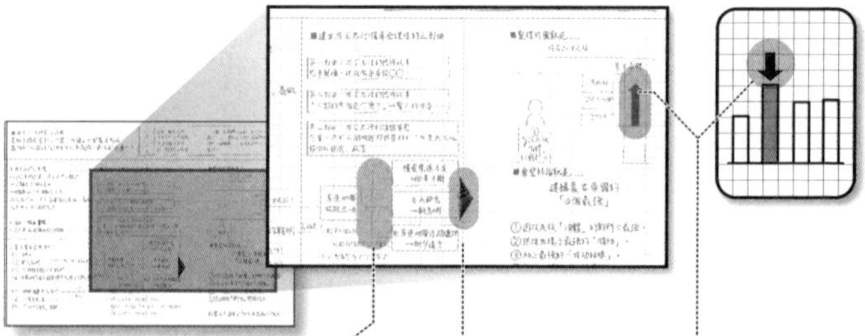

推展的箭頭
→ 細箭頭表示論點的展開。箭頭可以讓思考的流程一目瞭然。

歸納的箭頭
使用三角形箭頭。依據這麼多資訊，重點為何？此箭頭讓重點顯而易見。

強調的箭頭
使用粗實心箭頭（大多為紅色）。其特徵是讓你一眼就可以找到強調的重點。

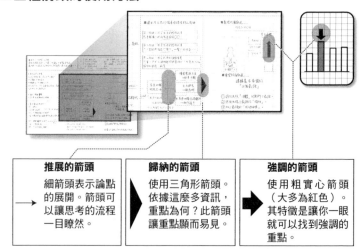

若用這個方法做筆記，過一陣子再回頭看時，筆記的「重現性」會有顯著的不同。再次閱讀筆記時，不同的箭頭會印入眼簾，同時，標記於箭頭上的「邏輯連接詞」可讓你於短時間內理解「推展、歸納、強調」的重點。

有的人展開思考時會使用箭頭，但我從未見過有人使用**「箭頭＋連接詞」**。然而，一旦開始使用後，任何人都會對這個方法所產生的效果感到驚奇不已。

「我這才了解，原來自己的想法是如此曖昧不清。」

「回頭看筆記時，竟然能鮮明地重現獲取資訊時的光景，令人驚嘆。」

「沒想到用如此簡單的方法，就可以學會邏輯思考。」

只是這麼簡單的小動作，就可以讓你筆記的重現度一口氣提升。

請你務必試試看，讓你的眼睛實際體驗那驚人的效果。

在「歸納空間」消除問題，歸納筆記內容

如何活用位於筆記右側的「歸納空間」，是「學習筆記」最重要的關鍵。

最近，考試的出題方向有傾向測驗應試者的思考與應用能力的趨勢。因此，如果光是記憶力好，稱不上是「會讀書的人」。

真正會讀書的人是「應用能力佳的人」，但前提是要有「提問能力」與「歸納能力」。

擁有「提問能力」「歸納能力」，再加上「應用能力佳」的人，在職場自然也能大展身手、發揮實力。

所謂的「提問能力」是指不會不經思考就全盤接受事物或資訊，而是能提出「那是什麼意思？」「爲何可以這樣說呢？」這種本質問題的能力。

所謂的「歸納能力」，是指能掌握事物的本質，在腦中整理重點並歸納，

然後以淺顯易懂的方式傳達給對方。

一個人要鍛鍊強健的體魄，必須每天做肌力訓練。訓練「提問能力」與「歸納能力」也是一樣的。要強化這樣的能力，必須每天進行腦力訓練。每天做筆記，筆記右側的「歸納空間」書寫課程的「歸納」重點，寫下「問題點」並想辦法消除，這就是鍛鍊腦力的最佳訓練方法。

這裡可能有個看似矛盾的地方：若未完全理解資訊，就無法寫出「問題點」嗎？但實際上，若一點問題都沒有，就代表你完全沒有理解。

■聚焦右側的空間

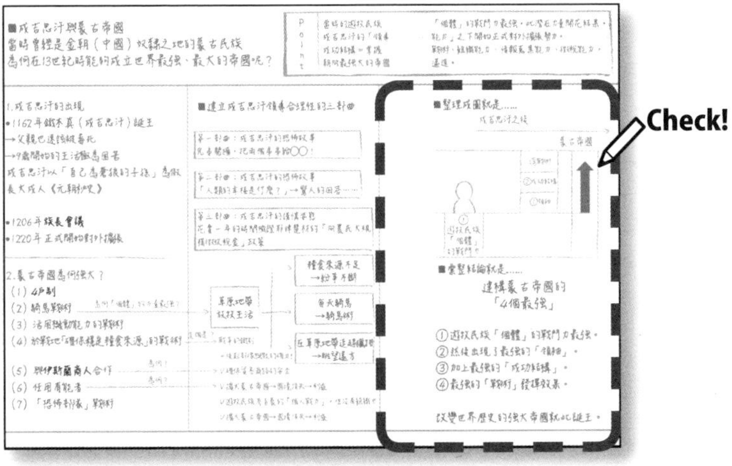

哈佛大學關注教育的「理解能力」

以《多元智能理論》一書而聞名的哈佛大學教授霍華・賈德納認爲，教育的目的在於「深入理解」。他指出「理解能力」的重要性：透過教育，我們的下一代會成爲「具理解能力的人」，並且「能將理解的東西傳遞給其他人」。

賈納德博士多年來爲哈佛大學教育計畫「零方案」的核心成員，這個計畫是以「培養理解能力的教育」爲主題的研究，持續了20年以上。

在此提到的**「理解能力」，就是「理解→有能力去做→傳達」**。也就是說，「理解能力」就是將獲得的知識與資訊化爲實際的「行動」，並且以任何人都可以理解的方式傳遞出去。

那麼，「理解能力」的關鍵是什麼?關鍵在於「徹底掌握自己已理解與尚未理解的地方」，能夠立即明確指出「尚未理解的地方」＝「疑問點」。

在看過兩萬多人的筆記後，我注意到**會讀書跟頭腦好的人，都能清楚畫分「已理解」與「尚未理解」的部分**。然後馬上展開行動，消除尚未理解的部分跟疑問點。

具體行動，例如「請教老師」「用Google搜尋」「請教具備那個領域知識的人」等。

你的筆記可以產出具體行動。一個會念書、將來工作能力佳的人，其筆記有「具體行動」，從那個「具體行動」，你可以迎向更閃耀的未來。

整理筆記要注意「簡化」

無論是準備考試、日常學習或工作，在有限的時間之內，能夠獲得多少成果，才是勝負的關鍵。

如果透過邏輯連接詞跟三個箭頭，提升右側「歸納空間」的能力，那麼歸納「簡而言之，結論就是這個」的能力將會快速進步。

只要能夠抓住重點，無須個別汲取片斷的知識，學習的效率跟效果就會顯著提升。

◇彙整成「三個重點」

學習筆記右側的歸納空間要寫上「簡單說，重點是……」「簡而言之，結論爲……」等要點。再將這些重點整理成「3個重點」至筆記上方空白處。如此一來，如下圖所示，只要看筆記的標題空間，「爲何成吉思汗……」「要點有3個……」，這樣的架構使筆記進化，讓閱讀者能一目瞭然。

這就是「理想的筆記」。

如果你從學生時期就時常把「簡單說」掛在嘴邊，習慣以「簡單說」與「要點有三」的原則做筆記，成績不僅會大幅提升，將來成爲社會人士時也能運用「簡單說」與「要點有三」等原則，掌握工作技巧的核心，讓他人覺得

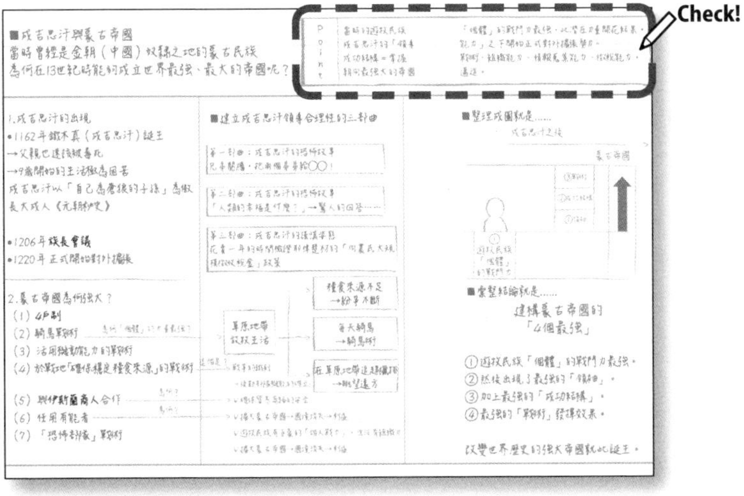

你與眾不同。

如果你已經是社會人士，不妨稍微花一點時間將「學習筆記」的方法應用在工作上。因爲已有豐富的筆記經驗，應該可以在短時間內熟練「學習筆記」的技巧，快速進入下一個章節「工作筆記」。

一起來看看具體的應用範例

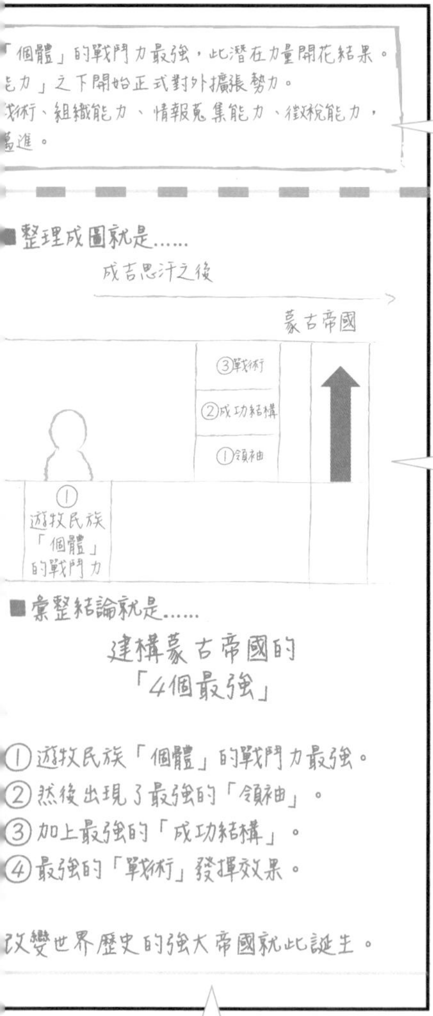
「個體」的戰鬥力最強，此潛在力量開花結果。
力」之下開始正式對外擴張勢力。
術、組織能力、情報蒐集能力、徵稅能力，
進。
■整理成圖就是……
成吉思汗之後
蒙古帝國
③戰術
②成功結構
①領袖
①遊牧民族「個體」的戰鬥力
■彙整結論就是……
建構蒙古帝國的「4個最強」
①遊牧民族「個體」的戰鬥力最強。
②然後出現了最強的「領袖」。
③加上最強的「成功結構」。
④最強的「戰術」發揮效果。
改變世界歷史的強大帝國就此誕生。

●活用筆記本上方3到5公分的空間②

最後，在筆記上方3公分處的右側空間寫下三個重點，彙整筆記的內容。

●利用圖解視覺化筆記

板書→透過察覺點，將自己已經理解的內容化為圖解，加速理解並強化記憶

●在右側空間歸納重點

板書→察覺點→加深理解的同時，簡潔地歸納並整理「重點」。

方格筆記本使用範例 1

〈學習筆記篇〉

●活用筆記本上方3到5公分的空間① 明確寫上論點。

■成吉思汗與蒙古帝國
當時曾經是金朝（中國）奴隸之地的蒙古民族
為何在13世紀時能夠成立世界最強、最大的帝國呢？

Point
當時的遊牧民
成吉思汗的「
成功結構＝掌
朝向最強大的

1.成吉思汗的出現
- 1162年鐵木真（成吉思汗）誕生
  →父親也速該被毒死
  →9歲開始的生活極為困苦
  成吉思汗以「自己為蒼狼的子孫」為傲《元朝秘史》
- 1206年族長會議
- 1220年正式開始對外擴張

2.蒙古帝國為何強大？
(1) 4戶制
(2) 騎馬戰術　為何「個體」的力量最強？→草原地帶放牧生活→糧食來源不足→紛爭不斷／每天騎馬→騎馬術／在草原地帶追趕獵物→眺望遠方
(3) 活用機動能力的戰術
(4) 於戰地「確保穩定糧食來源」的戰術　這個是？→戰爭的鐵則＝後勤部隊機能的確立！
(5) 與伊斯蘭商人合作　為何？→V確保貿易商路的安全
(6) 任用有能者　為何？→V擴大蒙古帝國→國境消失→利益
(7) 「恐怖部隊」戰術

V遊牧民族有自豪的「個人戰力」，但沒有組織力
V擴大蒙古帝國→國境消失→利益

■建立成吉思汗領導合理性的三部曲

第一部曲：成吉思汗的恐怖故事
兄弟鬩牆，把兩個弟弟給○○！

第二部曲：成吉思汗的恐怖故事
「人類的幸福是什麼？」→驚人的回答……

第三部曲：成吉思汗的謹慎姿態
花費一年的時間檢證耶律楚材的「向農民大規模徵收稅金」政策

●用箭頭＋邏輯連接詞推展筆記內容

在抄寫板書的同時，將「這是什麼」「為什麼」等察覺點用邏輯連接詞推展，加深理解。

●掌控中央空間

依據板書，將糾纏不清的史實或疑問點等抽絲剝繭，用自己的話整理，加深理解。

知識補給站

從13歲開始的筆記進化論——「一生三個階段」進化筆記

正如人生有各個階段，筆記也有進化的時間點。
13歲這個時期，身體會開始變化，頭腦的運作也會快速提升。在此同時，也一起進化你的筆記吧。

從只是將老師的板書一字不漏抄寫下來的小學時代的筆記，轉變成「自己思考的筆記」，改用方格筆記本。
在這個時期，自我意識萌芽，開始思考自己的未來，為了讓自己的雙手掌握未來，開始學習各種知識。不要讓這個關鍵時間點溜走，應立刻改用能引導潛能的筆記本。

如果13歲時就能領悟學習筆記的技巧，下一個時間點，也就是在22歲初次進入社會的同時，會進化成「工作筆記」「捨棄筆記」。筆記進化的高峰是在人生的決勝點，也就是28歲前後。作為社會人士進入工作充實時期這個時間點，筆記會進化成「簡報筆記」與「決勝筆記」。
如此，隨著筆記的進化，提升自己的人生階段，將自己帶往更高的層次吧。

第4章

「工作筆記」幫你捨棄不必要資訊，快速導出結論

社會人士的筆記重點在「捨棄」

畢業後，你成了商務人士，也請讓你的筆記同步進化成商業規格吧。大學生跟社會新鮮人經常問我：「學生時代跟成爲社會人士的筆記，究竟有什麼差異？」兩者之間確實有絕對的差異。

學生時代的學習筆記，是用來「儲存」知識的筆記。

相反的，成爲社會人士之後，筆記的功能有了一百八十度大轉變，工作筆記是爲了「捨棄」而存在的。

沒錯，**社會人士的筆記是爲了「捨棄」而使用**。工作所需要的筆記不是收集一大堆資訊，而是要引導出「一個結論」，因此「捨棄的能力」是必要的。

工作必然需要接觸大量的資訊。如企業資訊、競爭對手的資訊，社會或世界情勢相關資訊、預算或交期等交易需具備的條件等資訊。

從龐大的資訊中找出能連結到成果的重要資訊，整理重點，引導出結論，這就是商務工作的基礎。

商務人士的筆記就是爲此而存在的工具。其中，工作筆記是爲「捨棄」而製作的筆記，最大的功能就是辨別需要「捨棄」的資訊。

而培養「捨棄能力」的最佳地點，就在「筆記本」上。

將錯綜複雜、在腦中流竄的資訊，用方格筆記本的三分割法整理，引導出最終結論。這個過程的效率與準確度，有能力的人與沒能力的人天差地遠。

然而，就連有能力的商務人士，也不是一開始就能製作出完美的「捨棄筆記」。就像做肌肉訓練一樣，他們每天反覆「做筆記→捨棄→導出一個結論」的訓練課程，琢磨筆記技巧。

因此，不要想太多，只要跨出第一步即可。馬上透過工作筆記學習「捨棄的技巧」吧！

30多歲卻一事無成，是因為改不掉「肥胖筆記」的習慣

在書店可以看到很多以「筆記術」爲特輯的雜誌或相關主題的書，內容常見如下：「不需要一開始就整理筆記。」「總之，先寫下來就對了。」「把想到的東西寫下來就可以了。」

成爲社會人士，比別人還努力地做筆記，卻沒有獲得任何成果。爲此而煩惱的人，心中可能有這樣的疑惑：「到底是哪裡出了問題？」但是，這樣天眞的想法相當危險。

大多數的人都沒有機會一睹外商顧問等有能力者的筆記樣貌，所以才會天眞的以爲筆記「沒有整理也沒關係」「總之，先寫下來就對了」。

其實，過去的我也是如此天眞。20多歲時，我也因「不用整理，只要把想

到的東西寫下來就好」這種天眞想法而落入陷阱中。

結果，圍繞在我身邊的是，充斥各種資訊、寫得滿滿的「肥胖筆記」跟堆積如山的文件。

◇避免做筆記的三大禁忌

「捨棄」的相反詞是「肥胖」，而「捨棄筆記」的相反詞就是「肥胖筆記」。

肥胖指的是「代謝症候群」，這種症狀是因爲身體儲存過多的皮下脂肪所造成，容易導致現代病。

「肥胖筆記」就是沒有區分重要與不重要的資訊，全部都寫進筆記中，是典型的「讓你無法發揮能力的筆記」。

如同肥胖的原因是身體累積太多不必要的脂肪，肥胖筆記也是因爲寫下過多無意義的資訊所造成的。分辨是否爲肥胖筆記的方法就是，當你打開筆記時，「論點與結論」和大大的重點是否會映入眼簾。

這個也寫，那個也抄，在焦頭爛額、不知不覺當中，「論點與結論」變得曖昧不清，逐漸搞不清楚「哪個是要捨棄的資訊」「哪個是應該留下來的重點」。

「這個也寫，那個也抄」「總之，先寫下來」「總有一天會用到」……如果在寫筆記時抱持著這些想法，所寫下來的資訊往後使用的機率幾乎為零。

在學生時代，授課時間有限，獲得的資訊是由老師寫在黑板，大致上都是已經整理過的資訊。

然而，在商務場合有來自網路的龐大資訊、頻繁的會議和堆積如山的文件。口頭的交談對話大多是聽完就忘。你也遇過用平板電腦進行簡報的情況吧？如果不趕快寫下來，就稍縱即逝。

在職場上獲得資訊的管道，跟學生時代相比是南轅北轍。

因此，開始工作之後，也就是進入20歲階段之後，筆記有開始急速肥胖化的傾向。

■肥胖筆記的例子

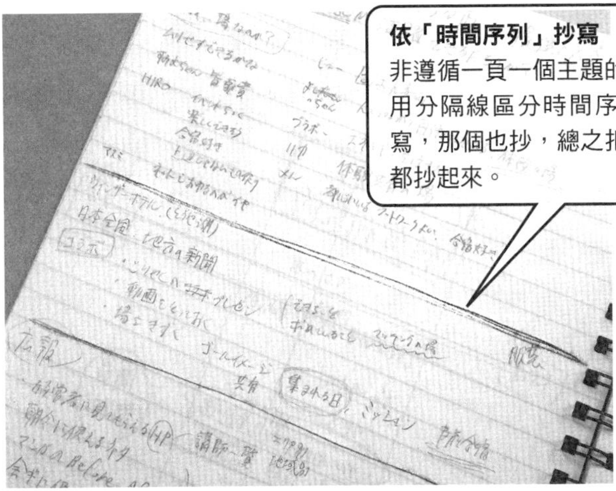

依「時間序列」抄寫
非遵循一頁一個主題的原則，而是用分隔線區分時間序列，這個也寫，那個也抄，總之把所有的東西都抄起來。

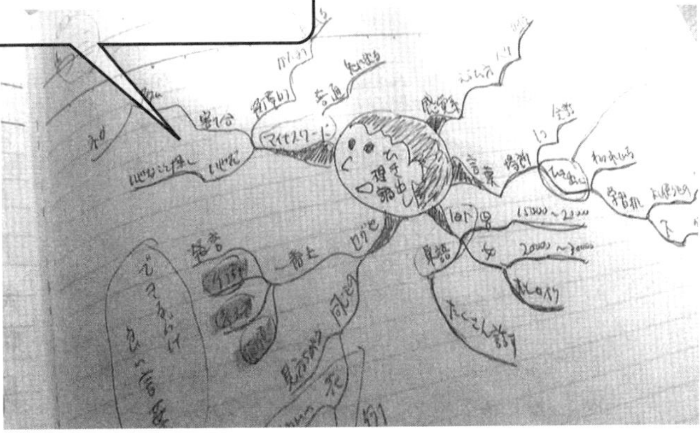

即使是「視覺化的筆記」也變得肥胖
原本應該是視覺化的筆記，若沒有依照架構書寫，就很有可能變成肥胖筆記。

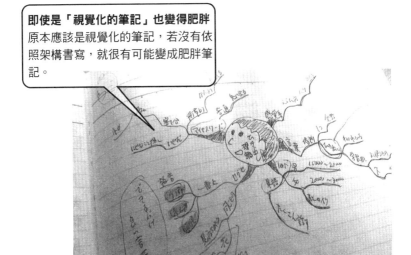

如果30歲後還無法進化成「捨棄筆記」，遲遲改不掉「肥胖筆記」習慣，就非常有可能會變成一事無成的商務人士。

如果是類似生活紀錄（無論是工作或私人生活，把與自己生活相關的資訊記錄於筆記本或電腦上）這種個人興趣的筆記就算了，工作筆記必須盡可能精簡！請務必謹記在心。

工作筆記的奧秘「整理術」

你是否常在電視或是雜誌上看到「整理」或「整理術」的專題報導呢？最近正積極提倡整理生活空間的「整理」的概念或「整理術」，爲何有這麼多人關注「整理」或「整理術」的議題呢？

理由在於，整理生活空間，或是說在整理的過程之中，你的想法也跟著被清爽地整理，而變得能夠心情愉快過活。

筆記也是同樣的道理。

◇「整理」與「筆記」的基礎概念相同

暢銷書《丟棄的藝術》之中寫道：「『總之先放著』是禁語」，並斷言

「這樣的東西根本不會有派上用場的一天」。

直接了當地說，**整理術和整理概念的關鍵，就是徹底「捨棄」**。該如何維持已整理過的生活空間呢？除了貫徹「捨棄」的原則之外沒有別的了。生活舒適整潔的人，都會習慣性地「捨棄」不必要的東西。

有能力的商務人士也是一樣，他們無時無刻、在任何狀況都依循著「捨棄不必要資訊」的原則整理想法。

爲此，使用方便整理資訊的筆記本相當重要。而方便整理資訊的筆記本，當然就是「方格筆記本」。

使用方格筆記本，毫不猶豫地「捨棄」不必要的資訊，這是「讓頭腦變聰明的筆記」的基礎。當你掌握必要與不必要的資訊做筆記，筆記會變得簡潔清爽。同時，大腦也會變得清晰、思緒流暢，得以快速地引導出結論。

◇在筆記上磨練商業頭腦

資訊也具有新鮮度，在獲取資訊瞬間的新鮮度最佳。在這個時間點，要立即判斷這個資訊是否爲現在面臨的課題所需。這樣的靈敏度，正是商業頭腦應具備的能力。

而沒有意識到要整理資訊，總之什麼都寫下來的筆記法，是無法訓練這種能力的。

「不整理也沒關係」「總之先寫起來再說」是商務人士的禁忌，如果你抱著這樣的想法，就會眼睜睜看著鍛鍊商業頭腦與開發潛能的機會溜走。

相反的，養成一邊做筆記，一邊瞬間判斷「這個資訊是否要寫下來」的習慣，就可磨練商務技能，讓你蛻變成有能力的人。

接下來，解說將「捨棄技巧」提升到「策略性捨棄技巧」的方法。

策略顧問，即便是做筆記也有「策略」

◇果斷地捨棄99%資訊

東大生或擁有MBA學歷的人最夢寐以求的，就是進入外商顧問公司任職。其中麥肯錫顧問公司、波士頓顧問公司、博思艾倫管理顧問公司等，可說是策略顧問公司的業界翹楚。

策略顧問所寫的筆記，在寫完的同時就推論出解決問題的策略。爲何他們可以做出那樣的筆記呢？最大的理由在於將「捨棄技術」集大成於一身。在每個資訊看似都重要的資訊大海，他們可以在「100個」資訊中找出最重要的「1個」重點，聚焦於那「1個」重點之上，然後果斷地捨棄剩下的「99個」資訊。

爲什麼捨棄「99個」資訊就是出色的策略呢？

請想像一下打保齡球。若想要取得最高分，就必須瞄準中央瓶再拋出球，對吧？策略規畫的道理亦同。瞄準正中央的球瓶，制定能攻下中央瓶的策略。

就結果而言，瞄準中央就可以攻下整體。

◇關鍵字是「從論點開始」

波士頓顧問公司的前日本負責人，現爲早稻田大學商學院教授的內田和成所著《論點思考》，以及曾任職麥肯錫顧問公司，現爲Yahoo! 營運長的安宅和人寫的《麥肯錫教我的思考武器》，兩本都是以顧問的「提問能力」爲主題的書籍。

另外，也有類似《3分鐘問出你想要的答案》的書籍。對顧問而言，「提問能力」是一項武器。學習如何提問、提高提問水準時，能減少不必要的思考，快速且準確地引導出結論。因此，無論是工作或學習都可以獲得亮眼的成績。

剛才提到的保齡球中央瓶，就相當於「論點」。

做筆記時，只要能找到作爲「論點」的中央瓶，將之寫下來即可。然而在商務場合，「論點」不明確是常有的事。也就是說，書寫工作筆記須具備自己找出中央瓶＝「論點」的能力。

（經濟新潮社出版）

（經濟新潮社出版）

（文經社出版）

知識補給站

英屬哥倫比亞大學助理教授的「藍色孕育創造性，紅色創造正確性」之說

為何使用「藍筆」呢？
那時，坐在我隔壁的外商顧問拿出方格筆記本，使用藍筆書寫，那鮮明的藍色深刻地映入我眼中。
在那之後，我看過好多位外商顧問也是使用「方格筆記本×藍筆」的組合做筆記。我問他們：「為何使用藍筆呢？」他們大多只是憑感覺回答：「使用藍筆心情會特別愉快。」「因為會讓思考更加順暢。」「總覺得用黑色不太協調。」
人的思考與行動，會受到映入眼簾的「顏色」影響。當改變房間「顏色」或服裝「顏色」時，心情也會變得不一樣。
學習或工作表現是否也跟「顏色」有關係呢？關於知識生產與「顏色」的關係，有一篇有趣的論文。

英屬哥倫比亞大學的朱睿（Rui Juliet Zhu）助理教授等發表於學術雜誌《科學》網路版的論文，同時刊載於2009年2月6日《紐約時報》網路版，此文提出「藍色孕育創造性，紅色創造正確性」一說。
要不要立即來嘗試看看「方格筆記本×藍筆」的組合呢？
知識的生產受到心情與動力很大影響。想要進行創意思考的時候，使用「方格筆記本」×「藍筆」。用藍筆實際體驗創意的效果，應該值得一試。

使用方格筆記本，提高「詢問能力」

那麼，該怎麼做才能夠建立正確的「論點」呢？最快的捷徑就是「詢問」。「詢問」就是向客戶、交易對象或上司等工作上的「對象」確認。

外商顧問常被比喻爲企業的醫生。面對走入診療室的患者，醫生大多以「身體覺得如何？」展開對話。之後詢問患者各種問題，這是所謂的「問診」，是診療行爲之一。

一位醫術高超的醫生，從問診當中就可以探查出病症的狀況、程度與治療方法，當問診結束時，也差不多就導出結論了。

顧問正是這樣一邊「問診」，一邊沿著諮詢重點尋找論點。所謂顧問的問診，就是向客戶「詢問」各種狀況。透過「詢問」摸索問題核心，以「一邊詢問一邊找問題」的治療法，思考問題點的改善策略與解決方案，然後向客戶提案。

◇「詢問」是商務的基礎

此原則不僅限於顧問，業務或企畫專員等企畫提案的工作流程亦同。商務的基本功就是詢問。

身為一位業務，必須了解客戶的需求、規格、預算或交期等條件，向客戶「詢問」這些條件，掌握商務會議須釐清的要點。

廣告公司接受廣告製作委託時也一樣，也必須詢問客戶，以徹底掌握對方希望呈現的意象或世界觀。

又例如，你走在街頭，面對映入眼簾的麵包店、拉麵店或宅急便等各種買賣生意，為掌握「客戶真正的需求」，亦會進行各種「詢問」，這是商業世界基本中的基本。

商業的基礎就是「詢問」。

工作＝「找出對方問題的解答」。

也就是說，工作的第一步是向對方詳細確認「問題是什麼？」。透過徹底地「詢問」，找出對方問題的癥結。這是找出解決策略的方向的必要條件。

也有人說「工作＝溝通能力」，而溝通能力的原點就是「詢問」，這也是耳熟能詳的說法。

如果你是學生，可能會覺得；「只不過是問問題，有這麼難嗎？」然而，實際上「詢問」是有點難度的技巧。時事評論家阿川佐和子所著之百萬暢銷書《阿川流傾聽對話術》（中譯本由野人文化出版）中提到：這個世界上大多數的人都煩惱著該如何開口詢問。

但外商顧問卻能巧妙地達成如此高難度的「詢問」技巧，那是因爲他們手邊有確認過「論點」的方格筆記本。

透過方格筆記本蛻變成「提問體質」

接下來，要如何發展提問能力、找出論點呢？在這個能力發展過程中，方格筆記本扮演了關鍵性的角色。

使用方格筆記本，就能透過每日的筆記鍛鍊「詢問能力」。

我在前面章節已經說明，在方格筆記本寫上「標題」的重要性。另外，以「一頁一個主題」使用方格筆記本，也是必須遵守的原則。

方格筆記本一頁只寫一個「論點」。這種格式的筆記本，能自然地鍛鍊「爲什麼」的提問能力。

一旦寫下標題，腦袋自然會浮現「爲什麼要下這個標題？」「能夠回應這個標題的答案是什麼？」等疑問。

「提問能力」能磨練對問題的敏銳度。也就是說，養成一定在方格筆記本加上「標題」的習慣，自然會學會「提問能力」。

當你想要養成新的習慣，例如每天走路、一天聽30分鐘的英文……就會想辦法尋找適合走路的地方，或是使用類似iPod可以收聽英文的工具，這是最佳方法。

同樣的道理，要完美練就「提問能力」，首要條件是建立合適的環境，取得合適的工具。而合適的環境就是方格筆記本，工具則是「寫上標題，聚焦一個論點在一頁上」。

■透過方格筆記本的「標題空間」，讓建立論點變成反射動作！

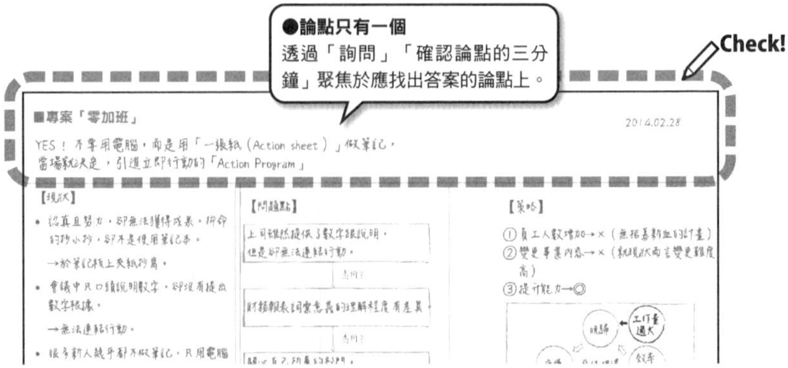

「確認論點的三分鐘」改變你的職涯發展

以下介紹兩種案例，一是當自己受到上司或交易對象委託，需要製作資料的情況，二是自己委託他人製作資料的情況，前者經由尋找論點與詢問「確認論點」，後者則必須「明確地指出論點」。

◇案例一：如果你受委託製作資料
養成「確認論點的三分鐘」習慣

假設你受上司或客戶委託，要製作提案書。

對方給你的資訊只有：「在下次開會前簡單擬定一份提案，就算是草稿也行。」

你聽了一定會覺得：「這樣說太籠統、模糊不清了，很傷腦筋呀。」

不過，大部分的人都會在「我好像有點懂你的意思」的情況下，就急著面對電腦，開始寫提案草稿。

然而，這種情況下所完成的資料，對方看了只會認爲：「這是什麼東西？跟我說的完全不一樣，沒有把我要求的東西放進去啊！」

這樣的悲劇時常發生。而發生這種悲劇的原因就在於，上司或客戶跟你之間「認知不一致」。

爲避免產生這樣的誤解，關鍵無他，就是**「確認論點的三分鐘」**。

要求對方：「不好意思，耽誤你三分鐘，想跟你確認一下提案中應有的論點。」

了解對方的構想，掌握應論及的論點、要點，最後再分享提案所需的概念或輪廓，在認知達成一致之前，務必彙整雙方的認知與意見。

使用方格筆記本，創造出「確認論點的三分鐘」，便可以短時間內製作出高品質的提案，上司、客戶、周遭的人都會認爲你是不容輕忽的存在。

僅僅三分鐘，就可以獲得驚人的效果，一定要養成這個「確認論點的三分鐘」習慣，它將影響你未來的職涯發展。

◇案例二：如果自己站在上司的立場……事先在標題空間寫下「論點」，交給部下

在職場，培育新人也是重要工作之一。假設你是部門的負責人，今年有剛進公司的新人分配到你的部門。爲了解新人的能力水準，你帶著新人一同拜訪客戶，回公司後要求他：「先作出一份客戶訪問的會議紀錄吧。」

此話一出，新人恐怕會不知所措。況且，因爲還是新人，完全沒有「詢問能力」，就連向你詢問「報告應該怎麼寫，需要製作成什麼類型的會議紀錄？」的能力都沒有。

這樣反覆花費大量的時間與精力培育新人，卻連是否朝著期望的方向進行都不得而知。

如果是有能力的上司，會指示下屬：「你要不要製作剛才訪問客戶的會議紀錄？」同時也會花費三分鐘詳細說明製作報告書的目的，以及為了這個目的，報告書應包含什麼重點之後，才會做出正式的工作指示。

身為上司，應正確傳達自己所期望內容的圖像，並確認雙方的認知一致。這是身為主管的你，在提出工作指示時應該掌握的要點，請務必牢記。

重點在於讓部下能夠快速製作出高品質的報告書。再者，透過撰寫報告書，準確地掌握狀況並統整，用簡單明瞭的方式傳遞資訊，這正是商務基本能力的訓練。

這時，方格筆記本正是最合適的工具。身為主管的你，應該事前將你的問題寫到方格筆記本的「標題空間」，再將筆記本交給部下。如此，部下應該可以掌握到「論點」與要點，引導出你所提問的解答（結論），順利製作出報告書。

當部下是剛進公司的新人時，也可以事先幫他設定幾個小論點。具體而言，在方格筆記本的「事實」空間用阿拉伯數字1、2、3標示三個項目，再將論點細分爲次論點後寫在筆記上。

直接示範作法，讓部下可以聚焦於「三個要點（次論點）」，學習掌握狀況，減少收集錯誤的資訊與避免浪費時間，這樣就可以在短時間內自然地精通商務流程與要領。

反覆進行上述指導方式一段時間後，可以將方格筆記本的使用方式、商務思考與建立論點的方法傳授給部下。

剛開始你可能會覺得很花時間，但是，在這階段若能確實將方格筆記本的活用方式傳授給部下，往後檢閱部下的報告須提示重點或訂正的次數就會銳減，同時也可減輕你的壓力。

部下的成長速度日漸加快，逐漸了解到工作的樂趣，進而提升工作動力，想當然可獲得相應之成果。

如此，身爲主管的你也可獲得好評，可說是皆大歡喜。

第5章

精通「簡報筆記」，一生受用的武器！

工作筆記的最終目標，是達到「簡報筆記」的境界

「簡報能力」越出色，年收入也越會節節高升。

麥肯錫顧問公司或波士頓顧問公司等外商顧問的高薪資是眾所皆知，他們之所以能夠獲得高薪，是因爲交付給客戶的「簡報資料」。

而**生產簡報資料的地方**，**就在「方格筆記本」**。

可想而知，顧問的工作大部分時間都集中於針對客戶的期望，提出解答或提案。而提案是否能被客戶接受，生意的成敗全仰賴於「簡報能力」。

◇進化成「帶進錢財的筆記」

工作筆記的最終目標就是成爲「簡報筆記」，簡報筆記也可說是「帶進錢財的筆記」。更正確地說，工作筆記是「能確實獲得成果的筆記」。

如果能夠做出這樣的筆記，此技能會成爲你一生的武器，再怎麼嚴峻、戰火猛烈交鋒的商業談判場合，你必定能發揮實力。

本章節將說明精通筆記的最終進化目標——「簡報筆記」技能的要點。簡報筆記最重要的要件，就是**先依據邏輯思考，彙整資訊**。

在商場，再有創意的想法或點子，如果不被客戶接受，就毫無價值可言。若要讓點子的價值讓人了解，就必須建構有邏輯的策略與能實現戰略的行動計畫。

要製作出能成爲人生武器的「簡報筆記」，學習邏輯思考是必要的先決條件。

在「方格筆記本」的健身房中鍛鍊「邏輯思考能力」

如果你有個國中二年級的兒子，他問你：「為將來做準備，應該要培養什麼能力才好？」你會怎麼回答？

全球化的現在，商業世界中最要求的技能就是英語能力跟商業思考能力。所謂商業思考能力，就是能夠邏輯思考，展開邏輯行動。

為此，許多大企業會對新進人員與資歷未滿三年的員工實施邏輯思考的培訓課程。另外，近年碩士在職專班的邏輯思考課也是一位難求。

鍛鍊了英文跟邏輯能力的人，是企業殷切盼望的人材，這樣的人當然能夠獲得高薪。事實上，外商企業、特別是前幾大外商顧問公司之中，年收上千萬日圓或年收超過一億日圓的人大有人在。

◇每天「有邏輯地做筆記」

在日本將英文列爲公司官方語言的企業日益增加。另一方面，有的人自國中開始至高中、大學，學習了10年的英文，甚至還到英語會話學校補習。即便如此，卻沒有學習到應用於工作場合的英語能力，爲此煩惱不已。

同樣的，不少人明明參加過邏輯思考課，卻無法將邏輯思考應用於工作場合。

想將學習到的英語能力與邏輯思考力應用於職場，關鍵就是一心一意、反覆練習。當你想要精通某種能力時，這是不二法門。

若想擁有在職場說得一口流利的英文能力，除了每天在工作時反覆使用之外，別無他法。邏輯思考也是一樣，每天反覆不間斷，持續在工作時鍛鍊邏輯思考，是訓練邏輯思考力最快速且確實的方法。

舉個例子，假設你進入新公司，參加了邏輯思考培訓課程。這時，最初的勝負關鍵就在於，每天的工作之中是否實踐課程中學習到的技巧。

當你想鍛鍊體魄時，就會去健身房。而鍛練邏輯思考力的健身房，就是本書討論的核心「方格筆記本」。

我時常遇到諮商者有這種煩惱：「無法有邏輯地講述自己的想法……」「不擅長有邏輯地思考並彙整事物……」「撰寫有邏輯的文章總要絞盡腦汁……」

「不擅長邏輯思考」的理由很簡單，因爲你每天的筆記並非有邏輯地寫，這樣當然無法鍛鍊邏輯思考力。

在前面章節已說明過，工作筆記就是「捨棄筆記」。因此，必須果斷捨棄不必要的資訊，找出必要的「1」＝中央瓶，也就是「建立論點」。

從此論點作爲起點，以「事實→解釋→行動。然後做出結論」的流程書寫筆記。以這樣的流程寫筆記時，無論是否有意識，一定會進行邏輯思考。如果思考沒有邏輯，就無法達到「事實→解釋→行動。然後做出結論」的流程。

反覆採用這樣的筆記方法，持續不間斷，筆記技巧會顯著提升並逐漸進化。在這個過程中，同時也會磨練你的邏輯思考能力。

「關於那件事情，就是這個論點。」

「結論如下所示。」

「爲何會這樣說，是因爲……」

「要點有三個。」

「以此事實爲基礎。」

「如此解釋。」

「採取這樣的行動是必要的。」

如同彙整過的報告，能夠有邏輯地表達自己的想法，這與收入優渥的外商顧問所使用的話術是相同的。

每天使用方格筆記本，你的思考能力也能夠提升到這樣的等級。

有能力的外商顧問會把焦點放在「事實」上

◇諾貝爾獎得主的「讓頭腦變好的基本功」

因《雙螺旋》而聞名全球的諾貝爾生理學與醫學獎得主詹姆斯・華生曾說：「我的母校芝加哥大學教給我最重要的事，就是依據事實進行思考的能力。……芝加哥大學的教育能夠引導出學生成爲領導者的潛能。亦即，成爲能夠從事實之中汲取出含義的人。」

如華生博士所述：「教育的基本就是『依據事實思考』。」再說得更準確點，任何思考如果不是依據事實爲原點展開，所做出的結論就容易悖離事實，沒有任何意義。

然而，幾乎沒有人曾經學習如何「依據事實思考」並且徹底執行。無論學校或公司，不先教導「基本中的基本」的思考方式，就馬上要求答案或解決方案是常態。然而，「依據事實思考」是商務思考的重要前提條件之一。

也就是說，「依據事實思考」是教育的基本，亦為商業世界的鐵則。會讀書且工作能力佳的「聰明人」，從學生時代到進入社會工作，一定會徹底遵守「依據事實思考」這個原則。

◇外商顧問的「事實！事實！事實！」原則

外商顧問的思考爲何能如此敏捷？最大的原因在於，他們將「依據事實思考」的原則謹記在心，徹底執行。

顧問大多擁有MBA學位或博士學位，受過高等教育。然而，就連他們也是每天接受上司的指正：「那個意見依據什麼事實所述？」「事實！事實！事實！」持續鍛鍊思考能力。

這樣的事實，恰恰證明了貫徹基本原則並不是難事。正因爲不是難事，更要每天徹底執行。這就是爲何原本就很優秀、又接受高品質教育的人得以成功的原因。只要將基本功練好，後續能力就會不斷精進。

◇思考的基本就是「依據事實思考」

是否曾有人教你如何「依據事實思考」？

如前所述，曾被教導過如何「依據事實思考」的人少之又少。相反地，如果盡早養成「依據事實思考」的習慣，並且運用自如，就可以跟你的對手拉大差距。

況且，這樣的習慣在你的生涯當中會持續地發揮正面效果。「依據事實思考」，正是如此強大的武器。

相信大家已經相當熟悉將方格筆記本切割爲三等分使用的原則了吧？工作

筆記中，被畫分爲三等分的左側空間是「資訊」，也就是寫下「事實」的空間。打開筆記本的那一刻，這個空間就完全在視線內。

這個方格筆記本使用原則，可以獲得跟外商顧問每天接受上司「事實！事實！事實！」一樣的訓練效果。

「在左側空間寫上事實」，跟學習筆記的「在左側空間寫上板書」是同樣道理。老師在黑板上寫的板書大多是「事實」，例如歷史上的事實、數學公式、國文文章或食物鏈圖等。

所以，在學生時代時就在學習筆記上記錄「板書＝事實」，然後將之故事化爲「察覺點＝解釋」，透過這種方法做筆記，當進入職場成爲社會新鮮人時，你已經跑在對手前頭。

成爲社會人士之後，每天都到方格筆記本健身房報到。換言之，每天使用方格筆記本的工作習慣，就是能夠確實磨練「依據事實思考」，最便利、且任何人都能立即做到的方法。

用顏色區分「事實」與「意見」

「事實」可說是鑽石的原石。所有的商業活動，都是不斷地琢磨「事實」，連結新的價值，以獲得利益的活動。

你是否看過開採鑽石原石的情景？在像山一樣高的岩石或土堆中挖掘，然後從中挑選出隱隱透出光芒的鑽石原石，在那單調乏味的作業中終於找到鑽石原石。

「事實」也是相同的道理。進入職場之後，必須參加的會議多且頻繁。會議都很冗長，就如同採集鑽石原石般的情景。會議原本應是「依據事實講述自己的想法（意見）」的場合，但很多主張「自己的意見」的人不但毫無事實依據，發言又沒有建設性，甚至有人只是爲發言而發言。在不知不覺之中，事實逐漸被埋沒。最後變成沒有結論的會議，只是浪費時間，這就是一般公司常見的情景。

◇透過「黃金三分割法」能減少不必要的會議

若是使用方格筆記本的三分割原則，可以減少不必要且浪費時間的會議，不會讓事實被遮蔽。

會議中寫白板時，也將白板畫分爲三等分的架構，於最上面寫下「會議的主題」，左側爲「事實空間」，右側爲「詳情、意見空間」。

接下來，書寫各個空間的板書時，「事實」用藍色，「意見」用黑色等顏色

■用顏色區分事實與意見

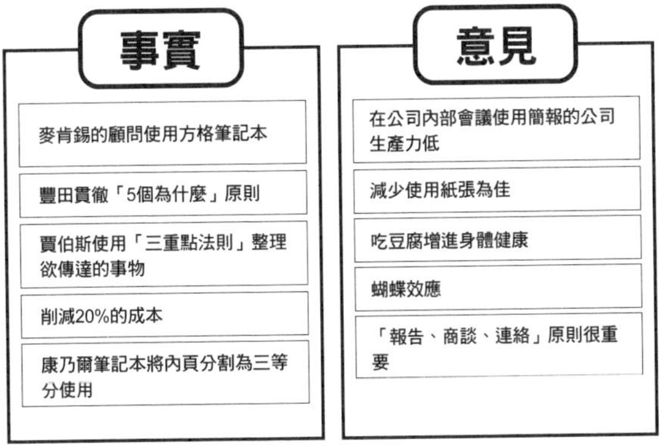
事實
麥肯錫的顧問使用方格筆記本
豐田貫徹「5個為什麼」原則
賈伯斯使用「三重點法則」整理欲傳達的事物
削減20%的成本
康乃爾筆記本將內頁分割為三等分使用
意見
在公司內部會議使用簡報的公司生產力低
減少使用紙張為佳
吃豆腐增進身體健康
蝴蝶效應
「報告、商談、連絡」原則很重要

這雖然是基本中的基本，但出乎意料地很多人無法區分事實跟意見。藉由每天的筆記擴充依據事實的思考網絡吧。

加以區分，「事實」與「詳情、意見」便可一目瞭然。跟做筆記時的情況一樣。

無法彙整自己的想法，引導出來的意見缺乏說服力……之所以發生這些問題與混亂情況，是因爲「事實」跟「意見」沒有用顏色區分、好好整理所致。

而你卻能引導出有邏輯、執行性高的意見與結論，往成爲「有能力的人」的路上不斷邁進。

可能有的人認爲「事實」就是數值或數據，但最眞實的事實是**「眼見爲憑」**。

有位顧問接下汽車製造商的顧問工作之後，便到那個地區的停車場親眼一一確認停放的車種。他從獲得的「事實」建立假說，再整理成檢證假說的提案。那個提案後來成爲那間汽車製造商大幅成長的契機。

在網際網路發達的現代社會，更需要用「自己的眼睛確認」事實，更加重視「自己感受到」的事實之價值。

加入「專有名詞、數量詞、動詞」

你是否擅長寫文章呢？

寫文章的能力，表現出你的思考能力。

在學生時代如果會寫文章，小論文或國文作文就能獲得好成績，大學時代寫論文時會比較順暢。成爲社會人士之後，**是否能夠寫出好文章，更決定了你的工作前途！**

是否能夠寫得一手好文章，具有重大意義，會影響你未來人生的舞台。

◇用「看得見的詞彙」做筆記，一舉提升寫作能力

你認爲提升寫作能力最確實的方法爲何？

學習寫作技巧，閱讀書籍，增加詞彙量，每天寫部落格等，方法百百種，但有一個更簡單且確實的方法可以立即提升你的文章素質，那就是**不要用「單字」，而是用「文章」書寫筆記**。

筆記的文章跟作家或詩人的文章不同，需要的是淺顯易懂且能正確傳達訊息的文章，必須避免內容曖昧不清。

而為了避免曖昧不清，淺顯易懂且正確地書寫，**使用「看得見的詞彙」**寫文章便相當重要。「看得見的詞彙」就是當你看到那個詞彙的瞬間，就可以浮現出具體圖像，具體而言為「專有名詞、數量詞、動詞」。

只要注意到這個原則，「曖昧不清」的問題就會從你的筆記中消失，你的筆記內容會變得「具體並且淺顯易懂」。

「看得見的詞彙」的第一步
使用「專有名詞、數量詞、動詞」

專有名詞 → 表示特定的「人物／場所／事件／時代」等名詞

台灣大學	豐田	戰國時代
蘇東坡	西門町	彼得・杜拉克

動詞 → 表示「動作」的詞彙。關鍵在於能否浮現出「行動圖像」

詢問	調查	寄送郵件
展現	洽談	檢索

數量詞 → 使用數字表示「時間／年號／人數」等

90分鐘	空白的1秒鐘	7個習慣
1192年	3個原則	100人會議

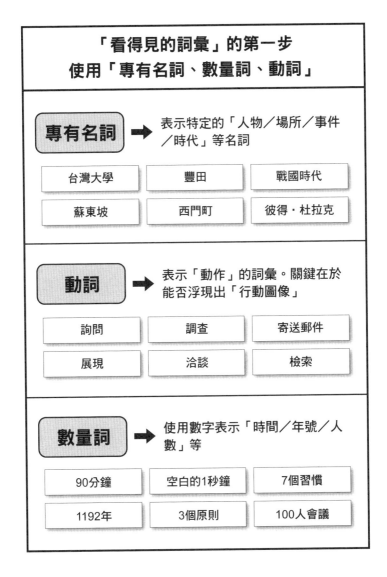

豐田跟麥肯錫顧問公司使用三種工具精通「5個為什麼」

我在學習筆記的章節已提過「控制中央空間的人，就掌握了學習關鍵」，並說明關鍵就在於「邏輯連接詞」與「三個箭頭」的使用。

工作筆記也相同，「控制了中央空間的人，就掌握了商業世界」。只是，商業場合所涉及的問題更加複雜。爲此，必須進化「邏輯連接詞」與「三個箭頭」的使用方式。

豐田跟麥肯錫顧問公司以貫徹「5個爲什麼」原則而眾所皆知。

「爲什麼？爲什麼？爲什麼？爲什麼？爲什麼？」，藉由連續的「5個爲什麼」深入思考，串聯表面看起來不相干的問題，並連結到問題的根源（原因）。如果能往下挖掘，解決那個根本問題，任何問題就都能迎刃而解。

◇藉由「邏輯連接詞」「箭頭」與「四角形」，掌握「5個爲什麼」的精髓

執行「5個爲什麼」時，使用方格筆記本的中央空間，能夠有效、視覺化地深入思考。具體而言，使用「邏輯連接詞」「箭頭」與「四角形」三種工具。使用的「邏輯連接詞」，就是「爲什麼？」的提問。使用適合自己的詞彙，運用「四角形」與「箭頭」在方格筆記本上展開思考，就能視覺化地推展邏輯，順暢引導出深層問題，查明「問題的根本原因」。

具體而言，如下頁圖示，透過「爲什麼？爲什麼？爲什麼？爲什麼？爲什麼？」深入思考，挖掘出新的事實。然後，透過「所以？」＝「SO WHAT?」的推展，不僅可以找出問題的根本原因，在思考的過程中，亦可引導出解決問題的方案，培養高效率且策略性的思考方式。

剛開始，在習慣之前可能會覺得相當「累人」。那是因爲用平常不習慣的方法鍛鍊肌肉，使肌肉緊繃，導致肌肉痠痛。但在鍛鍊之中，你的「邏輯能

力」確實被增強。

然後，在自問「5個爲什麼？」當中，不知不覺進化成能夠瞬間快速思考的大腦，往上提升一個甚至是兩個層次，變成有工作能力的人，實現自我進化。

◇「5個爲什麼」的推展例子

如下例，利用「5個爲什麼」引導出讓「日式」便當店的營業額往上提升的策略。

■透過「邏輯連接詞」「箭頭」與「四角形」推展「5個為什麼」

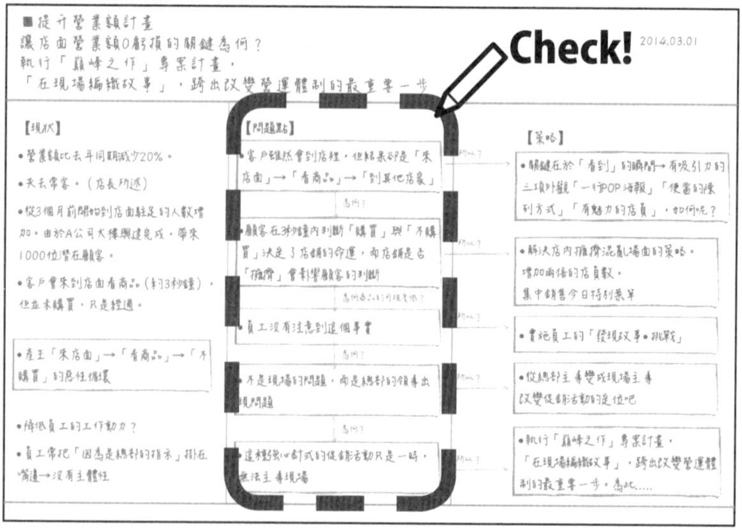

外商顧問貫徹的「行動基礎」是？

簡報筆記的右側，是書寫「行動」的空間。

我在教導筆記技巧時，發現有很多人的煩惱是「我寫了很多筆記，但仍無法付諸行動……」。只要看他的筆記，便可知道原因。大多數的人筆記沒有「產出」，也就是無法引導出「解決方案＝行動」。

學生時代的筆記，只要能做出「歸納」便是產出。但在商業世界，若沒有引導出行動，做筆記所獲得的成果便爲零。因此，工作筆記的產出一定要有「行動」。

外商顧問所寫的方格筆記，產出一定有「行動」。

外商顧問分析事實、思考、製作簡報資料，每個階段皆以「向客戶提出獲得成果的具體行動方案」爲基礎進行思考。這種思考方式在顧問的世界被稱為「以行動為基礎的思考方式」。

麥肯錫顧問貫徹的「天空、下雨、帶傘」思考模式，最後的目標就是導出「應該帶傘出門」這句話。觀察天空的狀況，解釋為可能會下雨，這一切過程都是為了引導出最佳行動方案的思考模式。

◇優異的行動基礎建構於「是否浮現圖像」與「可否實際運作」

只要使用腦中螢幕，便能確認是否能依據行動基礎思考。

例如，假設你要求部下：「麻煩針對那件事情彙整相關資料。」這並不是行動基礎，因此受到指示的部下即便再怎麼努力想像圖像，腦中螢幕什麼也浮現不出來。

相對的，如果是「針對A公司的營業額跟上個月比增加20%的原因，整理出三個重點，歸納成一張A4紙，在明天中午12點前提出。」這樣的說明，便可以讓部下明確掌握圖像與應涉及的要項，而馬上展開行動。

傳達行動基礎的秘訣就是，使用「看得見的詞彙」展現具體行動。工作場合無意識使用的詞彙，出乎意料地大多是無法顯現出行動圖像的「看不見的詞彙」。透過下列要領，盡可能地改變習慣，使用「看得見的詞彙」吧。

不知道該怎麼做「看不見的詞彙」	應該怎麼做「看得見的詞彙」
討論	⇨建立「是否在這三週實行」的判斷基準
共享	⇨將會議紀錄整理到一張 A4 紙中，寄電子檔給會議出席人員
可視化	⇨將論點彙整成三項，何時之前、執行內容、誰來執行寫在白板上
浸透	⇨將企業理念畫成一張圖。社長每週説明一次這張圖的意涵
掌握	⇨訪談相關人員，彙集三個問題點，將對策整理於一張紙上
意識	⇨隨身攜帶明信片大小的 10 項目確認明細表，分別於 9 點鐘、13 點鐘與 18 點鐘時進行確認

濃縮成一個訊息

終於到了「簡報筆記」的最終階段。在此階段必須決定要傳遞何種訊息給客戶等對象，然後在標題空間寫下「結論」。

「簡單地說，你到底想說什麼？」將想表達的東西簡潔地講述出來。如果從學生時代就透過學習筆記鍛鍊「彙整筆記時要注意『簡化』」，進入社會成爲新鮮人之後，你的能力就能馬上獲得上司或周遭的人賞識。

工作筆記就是使用方格筆記，依據截至目前說明過的推展方法與流程，整理出簡潔且能夠清楚說明「結論就是這個」的訊息！

這個訊息的重點是「Less is more」，也就是「越精簡，越豐富」。「Less is more」是波士頓顧問公司顧問書寫訊息時使用的共同原則。

終極的「Less is more」只會是一個訊息，「將訊息濃縮成1至2行」是最理想的。爲此，必須不斷琢磨使用的詞彙。

即便專業等級無法一蹴可幾，只要隨時意識著「Less is more」，將之謹記在心，慎選合適的詞彙，必定能夠寫出扎實淬鍊的訊息。

以上是簡報筆記的要點。

簡單整理黃金三分割的重點：

- **正確地建立「論點」**。
- **用顏色區分「事實」與「意見」**。
- **依據「事實」自問「5個爲什麼」，抓出本質問題**。
- **淬煉出「行動」**。
- **將「結論」濃縮成一個訊息**。

這一連串的流程可以在方格筆記本上推展。

只要使用方格筆記本，便可將這一連串的思考模式變成你自己的東西。馬上從明天的工作開始運用看看吧。

一起來看看具體的應用範例

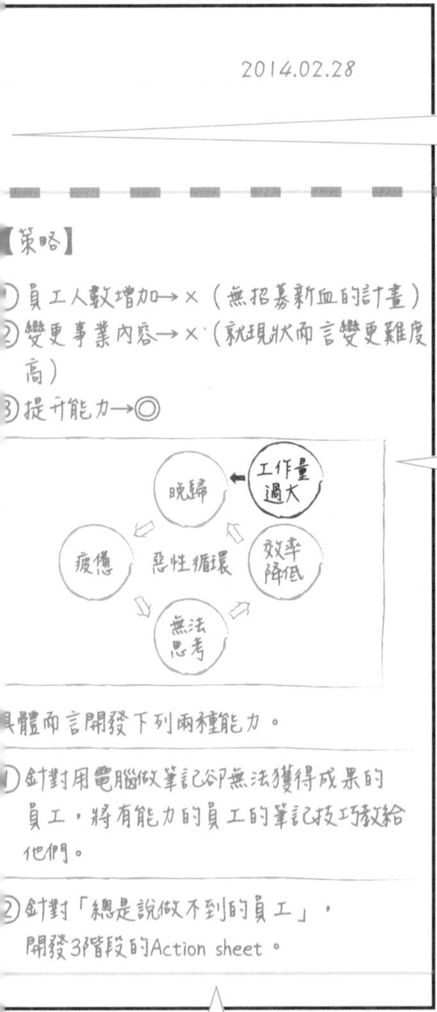

2014.02.28
【策略】
①員工人數增加→×（無招募新血的計畫）
②變更事業內容→×（就現狀而言變更難度高）
③提升能力→◎
工作量過大
晚歸
疲憊
惡性循環
效率降低
無法思考
具體而言開發下列兩種能力。
①針對用電腦做筆記卻無法獲得成果的員工，將有能力的員工的筆記技巧教給他們。
②針對「總是說做不到的員工」，開發3階段的Action sheet。

●活用筆記本上方3到5公分的空間②

最後，在筆記上方空白處寫下這一頁報告的結論：「簡言之，是什麼？」

●利用圖解視覺化（筆記）

依據「5個為什麼」，圖解化所見問題的深層結構。

●利用右側的空間決定行動

依據事實→解釋，現在應該做什麼，任誰都能夠毫無疑惑地決定「行動（對策）」。

方格筆記本使用範例

2

〈工作筆記篇〉

●活用筆記本上方3到5公分的空間① 首先，寫下報告的標題與論點後，推展思考。

■專案「零加班」

YES！不要用電腦，而是用「一張紙（Action sheet）」做筆記，當場就決定，引進立即行動的「Action Program」

【現狀】

- 認真且努力，卻無法獲得成果。拚命的抄小抄，卻不是使用筆記本。

  →於筆記板上夾紙抄寫。

- 會議中只口頭說明數字，卻沒有提出數字根據。

  →無法連結行動。

- 很多新人幾乎都不做筆記，只用電腦做筆記，卻無法獲得任何成果。

  →相反的，馬上行動並獲得成果的新人總是很勤快地手寫筆記。

- 社長大多用口頭講述，並不會把自己的想法彙整成資料交給對方。只有少數人會將社長的話做成筆記，大多數的人都只是聽聽就算了，不會展開行動。

- 參加同樣的研修活動，也一樣有做筆記，理解能力卻如雲泥之差。

【問題點】

上司雖然提供了數字跟說明，但是卻無法連結行動。

↓ 為何？

財務報表詞彙意義的理解程度有差異。

↓ 為何？

關心自己所屬的部門。但對其他部門的事情漠不關心。

↓ 為何？

部門之間溝通不良

↓ 為何？

光營運事業就焦頭爛額
原因是去年實行的營業額2倍成長計畫

（發生了什麼事情？）

●寫出事實

首先，分點寫下與論點相關的事實。此時，用顏色畫分意見與事實，整理事實狀況。

●展開「5個為什麼」

依據列舉的事實，決定應該聚焦的問題，針對問題提出「5個為什麼」深入思考，掌握問題的本質。

所有資料都用「黃金三分割法則」彙整

開始工作之後，公司裡眾多的資料可能讓你感到驚訝：從報告書到會議資料、提案書、企畫書、公文或審議文件等，有各式各樣的資料需要撰寫。你可以配合資料量與各種變化，在網路上或書店陳列的書籍中找到各種資料的製作技巧，例如「報告書的寫法」「會議紀錄的寫法」「提案書的寫法」等。

不過，我敢斷定：「不要被製作資料的技巧弄得團團轉，而是要掌握製作資料的核心！」

在職場被要求製作的資料，如報告書、企畫書、商品企畫書、簡報資料等，都是「簡報」或簡報的草稿。也就是說，製作資料的唯一核心，就是製作「簡報筆記」。如果能領會到這點，只要使用單一模式製作資料即可。

換言之，沒有必要刻意學習各種資料製作的秘訣或方法。所謂的一個模式，就是隨著學習筆記、工作筆記階段性地成長的「黃金三分割法則」。

◇用「單一模式」製作資料

無論何時，面對不同的工作內容，只要使用「黃金三分割法則」模式彙整資料，不知不覺之中磨練「黃金三分割法則」模式的技巧，逐漸能夠運用自如，你製作資料的效率與效果會驚人地不斷提升。

成爲社會人士幾年後，工作等級顯著提高，製作資料的難易度也往上提升。

資料的提出對象也從上司變成總經理，或是從交易對象的窗口變成部門主管，有時需提交給總經理或社長。同時你也有了部下，需要提示資料或給予指示的機會增加。也就是說，資料製作要求的質量顯著提升。

此時，該怎麼做才不會被必須製作的資料壓垮，而有效地製作出高品質的資料呢？

答案還是「**貫徹單一模式**」。不是使用個別資料的製作方法，而是採用能夠因應各種資料的「單一模式」，也就是「黃金三分割法則」。

透過「事實、理由、結論」的流程推展故事。從一封郵件到報告書、企畫書、甚至是超過一百頁的簡報資料，「黃金三分割法則」皆可適用，能夠彙整出需要展現「書寫、傳遞」功能的資料。

爲了熟練運用「黃金三分割法則」，要每天使用方格筆記本，不間斷地鍛鍊，直到無論何種資料都可以確實且快速地彙整，掌握筆記技巧的精華。

外商顧問的簡報資料就是貫徹「黃金三分割法則」所製作出來的。他們透過簡報資料，孕育出驚人的高利潤，若是有能力的顧問，在30到35歲之前，年收入可能高達數千萬日圓。沒錯，透過「黃金三分割法則」彙整出來的簡報，正是人生最重要的資產。

你所書寫的簡報筆記，正是建構你「現在的成果」「未來的成功」的基礎，將會成爲你的重要支柱。

不需要一開始就達到完美。建議你就從這樣的一小步開始吧：透過你的雙眼找出「事實」，並在方格筆記本上琢磨宛如鑽石原石的「事實」，找出屬於你自己的結論。

知識補給站

製作有如外商顧問等級的精美投影片的密技——「think-cell」的衝擊

為了提高製作簡報資料的產能，外商顧問公司引進了「think-cell」軟體。波士頓顧問公司、博思艾倫管理顧問、理特管理顧問等多數外商顧問公司都引進了這套軟體。
外商顧問所製作的簡報資料，瞬間就能抓住人心，由各種精美圖表所構成，而透過「think-cell」軟體，便可自動生產出這樣精美圖表。
「think-cell」的出現，讓至今需要花費大量時間製作的高品質圖表，只要使用這套軟體，任誰都可以在短時間內生產出來。
！皆引進「think-cell」軟體。

而不變的是使用方格筆記本，視覺化地整理想法，有邏輯地引導出解決方案，進行知識生產的技術。無論再怎樣便利的軟體，如果沒有輸入整理過的資訊，是無法充分發揮功能的。
勝負決定於方格筆記本的階段，然後透過「think-cell」的協助製作出精美且具視覺感的投影片，這就是外商顧問的工作風格。

think-cell

http://www.think-cell.com

指南3

往上提升一個層次的「決勝筆記」

想再往上提升的說明指南！

在決勝舞台支持你的強力後盾，「決勝筆記」指南！

截至第4章所說明的，是為了「記憶」「思考」和「統整」的筆記。從這個階段開始，筆記會有質的變化，蛻變為「向其他人傳遞訊息」的工具。

有能力的外商顧問的思考方式是：**「做筆記是為了傳達訊息給對方。」**在這樣思考方式之下所製作的「筆記」，正是我所說的「決勝筆記」。

做筆記＝製作簡報資料。跟客戶開會時所寫下的筆記就可以直接當作簡報素材，這就是筆記技巧的終極目標。

大約28歲左右時，你可能需要負責統整大型專題，接大型案件，籌設新事業部門等。而**描繪未來的能力決定了成敗**，甚至連周遭的人也會受到影響，這個決定勝負的瞬間，一生中會造訪好幾次。接下來就來介紹，那個決勝的瞬間，從你的雙手所孕育出未來的「決勝筆記」。

製作決勝筆記的三大要點

製作決勝筆記的三大要點為：簡報筆記＝報紙的頭條新聞、從訊息開始、從期望的「心理效果」逆推選擇圖表，接下來就針對個別要點進行介紹。

簡報筆記＝報紙的頭條新聞

我曾經接受全國版報紙的採訪。以前我就認為新聞報導之中藏有筆記技巧的秘訣，在訪問結束後，我問記者：「有能力跟沒能力的記者，差異在哪？」

他回答：**「應該差在是否有架構吧。」**有架構的記者能有效地採訪，短時間內簡潔彙整報導，整理出掌握重點的報導。

實際上，**簡報筆記跟製作出「報紙的頭條新聞」的「架構」是相同的。**只要看下一頁的圖例就可以知道，新聞報導也是使用黃金三分割法則。如果你能意識到每天看的新聞就是架構範本，對於每天做筆記的想法也會有很大的改變。想像「自己是一位優秀的新聞記者」，會激勵你更精進自己的簡報能力，成為能力極強的商務人士。

Point 1　簡報筆記＝報紙的頭條新聞！

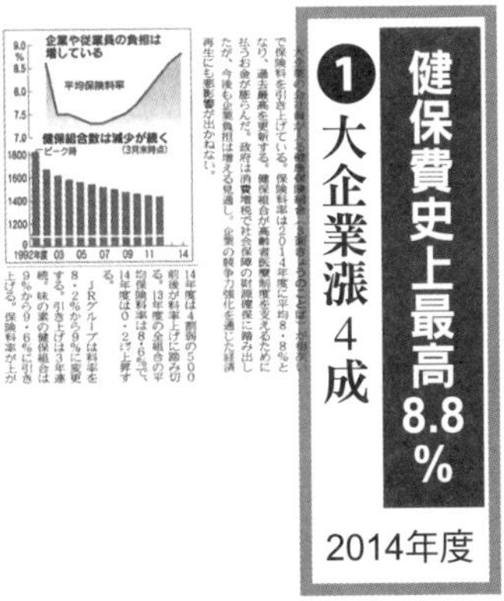

參考2014年4月15日
《日本經濟新聞早報》編輯而成

報紙頭版頭條新聞的模式，跟方格筆記本的彙整方式是相同的。

①寫上標題

②貼上圖表

③撰寫報導

Point 2　從訊息開始！從結論開始傳遞訊息

Point 3　從期望之「心理效果」逆推，由4個圖表之中做選擇！

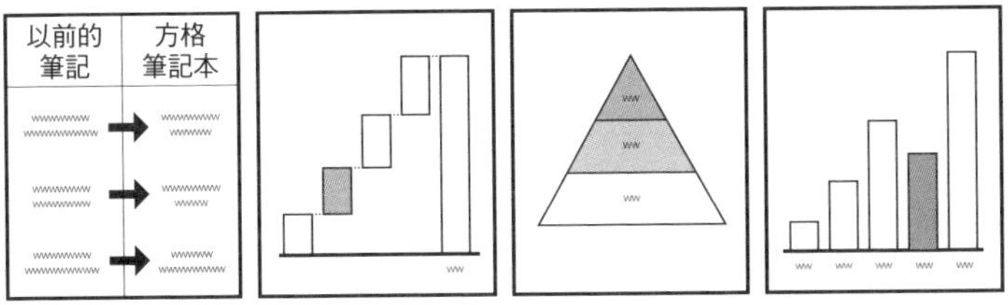

從訊息開始！

製作簡報資料或做筆記時，首先要貫徹**「從訊息開始」＝先傳達結論的原則**。

有的人可能會反駁，「先傳達結論」不是理所當然的事情嗎？然而，實際上看了很多人的筆記之後，可以發現真正貫徹「從訊息開始」的人並不多。

因為每個人都有想要說明理由、為何會變成這樣的強烈傾向。

如果習慣使用方格筆記本，自然能夠培養「先傳達結論」的習慣。因為在方格筆記本上方3到5公分的標題空間事前設定了寫結論的空間。沿著方格的輔助線持續做筆記，自然地能養成貫徹「從訊息開始」的習慣。

從訊息開始，再畫圖！

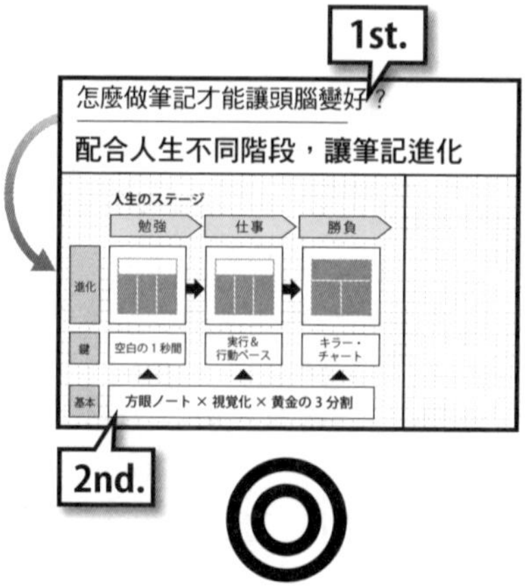

不要一開始就繪製圖解……

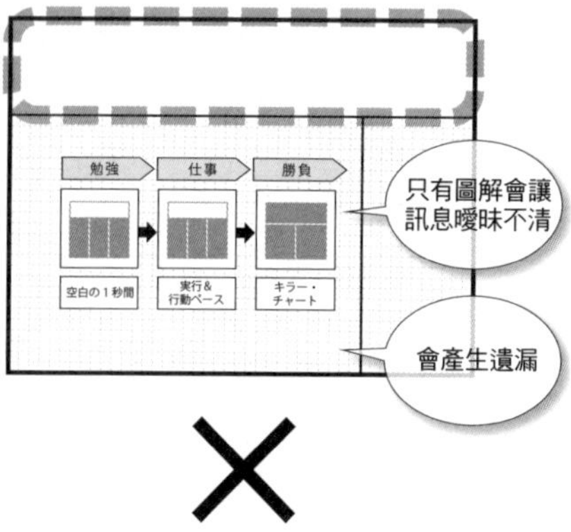

從期望的「心理效果」逆推選擇圖表

在外商顧問簡報資料中，經常出現「精美圖表」。

客戶看到那張精美圖表的瞬間，就被牢牢吸引住了。波士頓顧問公司使用「精美」的詞彙判斷圖表的好壞；麥肯錫顧問公司甚至使用「性感」的詞彙來形容，簡直像在形容藝術品一樣。

但是，製作瞬間奪得人心的「精緻圖表」也存在著法則。

那就是**從期望的「心理效果」逆推**。

看到那個圖表的瞬間，對方的心中會產生怎麼樣的情感？**這個原則掌握了連結對方記憶中「豐富圖像」的關鍵**。

然而，介紹外商顧問架構的工具書中，有的書記載將近一百個圖表範例。

因此，很多人有這樣的問題：「使用哪個圖表才能製作出相應之簡報資料？」因為他們不知道有「這個時候，使用這個圖表就妥當了！」這種相對應法則的存在。

在此介紹具代表性的4種圖形與「期望之心理效果」。

若能適當區分並使用這些圖形模式，想要傳達的訊息就像是有音響效果般，進化成能在對方心中繚繞的「精美圖表」。

下一頁開始，將以期望之心理效果為中心，詳細說明4種圖表模式。

1 前後差距效果

──電視購物、美容與減肥產品廣告常見的對比效果

人們會對「差距」（Gap）有所反應。讓人們看前後（before & after）產生的差距效果最佳。

例如電視節目《全能住宅改造王》，透過匠師之手，施展神蹟般的前後大改造，讓人不自覺地探出身子想進入電視畫面。

人們是會對前後「差距」產生劇烈反應的動物。

經常在電車中或車站看到減肥廣告照片。看到「3個月減重15公斤」的減肥前後照片的瞬間，那樣的衝擊會讓你不由地在心中吶喊：「騙人的吧！」

「為什麼我會考上東大？」這類廣告也是以前後差距的效果為目標。其他如深夜的電視購物節目、購物廣告傳單與樂天購物等也是同樣的道理。

這種「前後差異效果」的模式，是普遍被使用的商業手法，如果不使用它，那大多數買賣大概都不會成功。

強烈的「差距」（前後差異）變化映入眼簾，幾乎動搖了你長期以來的價值觀。這個顛覆你既有認知的劇烈衝擊，牢牢抓住你的心。這時，你會想馬上採取某種行動──購買！

也就是說，「能熱賣！」這種心理效果可說是能確實獲得成果、抓住人心的最佳方法。

●廣告之父大衛・奧格威：「眼睛是記憶的產物！」

人會對「差距」有所反應

關鍵在設定「比較軸心」！

①將欲傳達資訊的核心，亦即決定接收訊息對象所「重視、在意的要點」，垂直排列於筆記左側。

②針對各個軸心，利用「前後差異」讓資訊產生對比。

③最後，摘出由對比引導出來的含義。

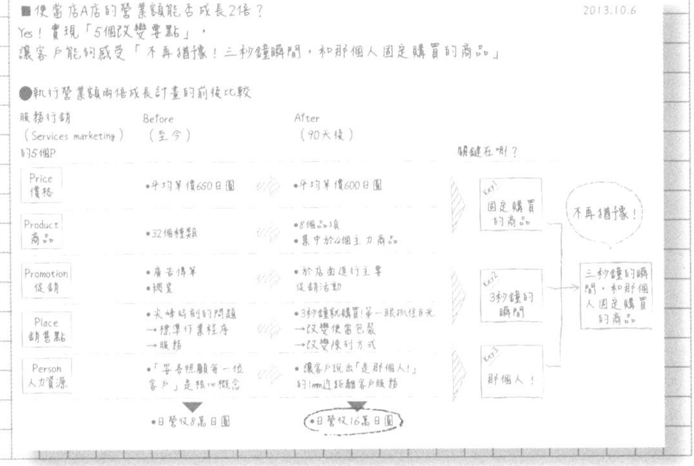

2 瀑布模型效果
──如星巴克等企業於發表財務報表時展現的一目瞭然效果

「瀑布效果」透過上下「落差」的變化吸引人們的目光。就像是階梯，如果有往上（爬升），就會有瀑布或香檳塔般往下（下降）的狀況。如同瀑布流向深潭中一樣，有的圖表經過好幾個落差逐漸往下降。將這種圖表模型的方向反過來時，就是往上累積的圖表。這樣的圖表稱之為「階梯圖」。

落差之所以能抓住人心，是因為**「似曾相識感」**。我們從小便經常走樓梯，因此眼睛跟身體對階梯的反應敏感。

以獲得「瀑布效果」為目標所製作的圖表，最具代表性的即為公司的財務報表資料。僅用數字表現的財務報表資料，是無法抓住人們的目光。越忙碌的人，越沒有時間詳細確認數字，而地位越高的人越忙碌，因此提交給他們的報告書特別需要將數字圖表化。

跟只用數字呈現的資料相比，用圖表呈現數字的資料，閱讀者的反應會有驚人的改變。將「數字」圖表化，以達到「瀑布效果」為目標，這種圖表所呈現出來的效果絕對難以估計。

●掌握關鍵的「似曾相似感」！

人會對「落差」有所反應

關鍵在於只強調重點！

①先畫出「變化前起始點」跟「變化後終止點」的數值圖表。
②用階梯狀圖呈現數值的變化過程。此時，不要畫太多階梯。
依循Simple is best的原則，整理成三個左右的階梯為佳。
③整理從圖表中引導出的含義。

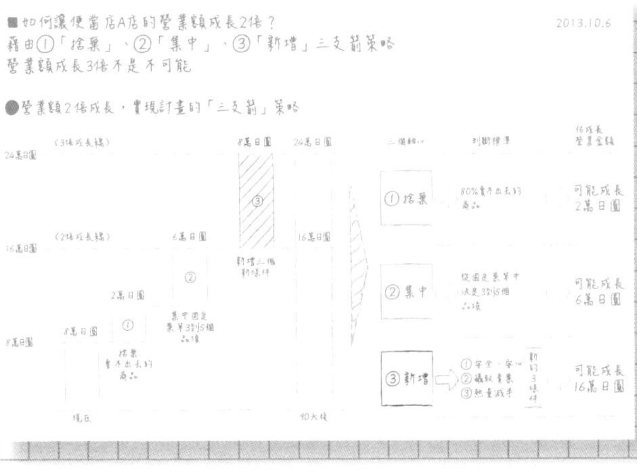

3 金字塔效果

——三得利跟ANA都採用，將願景、戰略濃縮成一張地圖的效果

人是喜愛「頂點」的生物，任誰都會對「頂點」產生反應。

人總是以「頂點」為目標，在小時候便喜愛玩積木或樂高，稍微長大之後開始以「攻頂」為目標登山。從學校考試獲得滿分、校隊以全國比賽冠軍為目標，在商業世界則以達成目標或最佳銷售成績為目標等，朝向「頂點」前進的行動永不間斷。

金字塔構造最具有朝向頂點前進的象徵。因此，以「頂點」為目的建立專案時，經常繪製以獲得金字塔效果為目標的圖表。

金字塔效果的圖表能制定出新的策略。全公司團結一心建立新專案，制定成功計畫，關注一個目的，明確訂定應該重視的要點、內容、應執行的方針與行動。如此，透過一張金字塔圖具有讓相關人員快速地理解內容的效果。

三得利、ANA等企業，也採用金字塔構造圖描繪了公司創立至今的一貫理念。比起條文式的內容，一張簡單的金字塔圖反而能讓人容易理解。

●引起似曾相識感！

人會對「頂點」有所反應

關鍵在於「由上往下」展開！

①決定第一層的目標。
②於第二層寫下實現目標的三個要點。
③於第三層寫下各個要點應採取的行動。

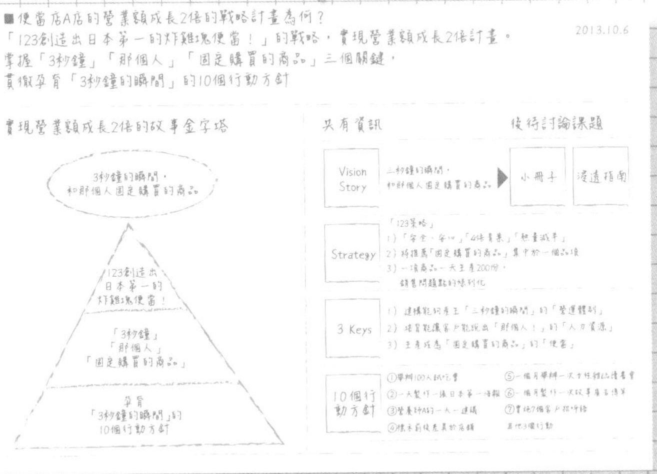

4 建築物效果

——長條圖效果讓單純的數字資訊開始講故事

人是對「高低差」反應敏感的生物。

人會注意到對方是高還是矮，在都市則會注意哪棟建築物最高。人的眼睛有在龐大的視覺資訊中瞬間找到高低差的能力。

而充分利用這個能力的策略，便是「建築物效果」。

俗話說：「**一張圖勝過千言萬語**。」跟數字大眼瞪小眼只是浪費時間。如果有這種時間，還不如把數字整理成長條圖。如此一來，只用單純數字而容易忽略掉的「高低差」會立即出現於眼前，從「高低差」能夠傳遞出重要的含義。

乍看之下只是單純的數據資料，從某個視點切入轉換成長條圖的瞬間，至今未曾注意到的重點，就可能因此浮現於眼前。

那就是建築物效果。

重點就只有將數據整理成長條圖而已，如此簡單。此時重要的是，要意識到傳遞給對方的「心理效果」。

如下頁圖例所示，並不是製作出長條圖就好，而要在想要強調的地方補充說明，下點功夫讓對比明確展現，效果更可大大增加。

●觸及對方腦中「經由眼睛所產生的記憶」

人會對「高低差」有所反應

關鍵在於聚焦於「有意義的差異」

①讓對方瀏覽呈現訊息的長條圖。
②為使對比更加明確，強調重點。
③將詳細說明或含義置於右側。

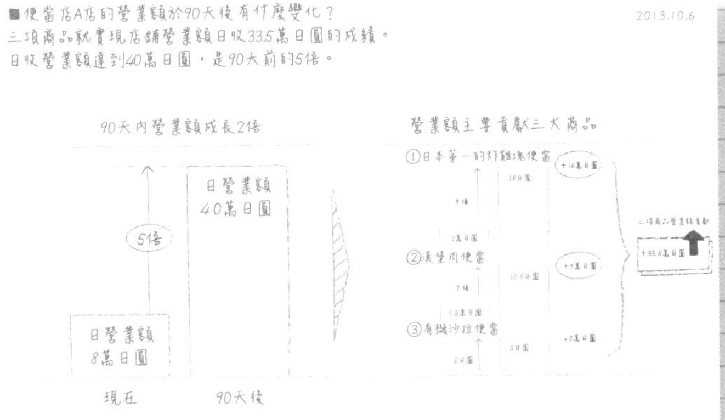

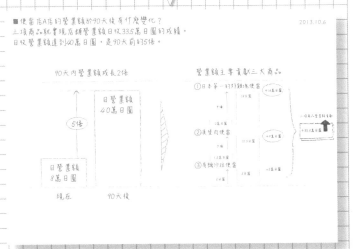

現在你手邊的筆記，決定了「未來的你」

本書從方格筆記本的介紹開始，到能夠孵出金蛋的「簡報筆記」與「決勝筆記」的製作方法，皆已逐一說明。

無論是學習、工作，或決定勝負的人生決勝點，筆記能夠應用於各種場合與階段。只要改用「方格筆記本」，如此簡單的一個改變，你的人生就會有戲劇性的變化。

讀完本書後，你就拓展了「讓筆記本進化」的新視野。

使用方格筆記本，你所寫的筆記將進化成視覺的、理論的且故事化的筆記。你的筆記就像是發生了小革命，知識產出的樣貌會有非同小可的變化。

你的目標，「人生下一個階段」在哪裡？

開拓人生的下一個階段時，以方格筆記本作爲夥伴，跨出第一步。**只要進**

化筆記本，就會改變你的未來。不僅是你自己，包括你的部下、同事，甚至是你的孩子、周遭人們的未來也會因此改變。方格筆記本就像是水面的漣漪逐漸往外擴散，不知不覺中，很多事情開始往令人難以置信的好方向發展。

然後，當你的筆記技巧再往上一個層次，開始能書寫出反映出更高層次，以達到心理效果爲目標的「決勝筆記」時，工作的成就感、價值，甚至連收入幾乎沒有極限地往上提升，這不再只是夢想。

理解方格筆記本的使用與應用方法之後，你只要去實踐就對了。

〈作者小叮嚀〉

本書刊載之部分說明圖，可以從本書日文專頁「讓頭腦變聰明的筆記」下載。其他方格筆記本的活用小撇步每天更新於專頁上，希望對你的工作或學習有所幫助。

http://www.thinknote.jp/publish/hougan　ID:present　Password:atama

〈後記〉

方格筆記本陪伴你實現夢想

二〇××年×月十四日

這是將來的事，也許是10年後、20年後或30年後，甚至是40年後的事也說不定。

那時你在一棟大樓的47樓會議室裡，正準備進行某個專案的啓動會議。而在你眼前有一本方格筆記本。

上小學時，開始使用幼兒筆記，進入國中之後，改爲使用學習筆記。成人之後，加入社會人士的行列。

然後，你再次進化筆記，28歲前後進化成「決勝負的筆記」。

40歲之後，你可能會將方格筆記本的使用方法傳授給你的部下或孩子。方格筆記本就像展開下一個旅程的車票，在下一個階段，也許沒有絕對有保證的東西。

但是，你進化了筆記本，用自己的雙手開拓下一個階段。你跟相遇的夥伴一起展開方格筆記本，在上頭描繪夢想藍圖，爲實現那個夢想藍圖勇敢前進。

用「方格筆記本」、筆和「描繪你的夢想藍圖」，未來將從你所描繪的那一頁筆記之中誕生。

完成那一頁筆記的瞬間，夢想的、或是說如夢想般歷史性嶄新的一頁就此揭開。

這本書是爲了你「下一個階段」撰寫而成的。由衷地感謝正在閱讀這本書的你，並期待在你今後所開拓的未來共語。

The Eurasian Publishing Group
圓神出版事業機構
用心與你對話・網野無限寬廣
方智出版社
Fine Press

http://www.booklife.com.tw reader@mail.eurasian.com.tw

生涯智庫 129

爲什麼聰明人都用方格筆記本？——康乃爾大學、麥肯錫顧問的祕密武器（附贈黃金3分割方格筆記本）

作　　者／高橋政史
譯　　者／謝敏怡
發 行 人／簡志忠
出 版 者／方智出版社股份有限公司
地　　址／台北市南京東路四段50號6樓之1
電　　話／（02）2579-6600・2579-8800・2570-3939
傳　　真／（02）2579-0338・2577-3220・2570-3636
郵撥帳號／13633081　方智出版社股份有限公司
總 編 輯／陳秋月
資深主編／賴良珠
責任編輯／柳怡如
美術編輯／王　琪
行銷企畫／吳幸芳・荊晟庭
印務統籌／劉鳳剛・高榮祥
監　　印／高榮祥
校　　對／賴良珠
排　　版／杜易蓉
經 銷 商／叩應股份有限公司
法律顧問／圓神出版事業機構法律顧問　蕭雄淋律師
印　　刷／祥峰印刷廠
2015年2月　初版
2015年4月　12刷

定價 290元　　ISBN 978-986-175-380-5　

你本來就應該得到生命所必須給你的一切美好！

祕密，就是過去、現在和未來的一切解答。

——《The Secret 祕密》

國家圖書館出版品預行編目資料

為什麼聰明人都用方格筆記本？：康乃爾大學、麥肯錫顧問的祕密武器（附贈黃金3分割方格筆記本）／高橋政史 著；謝敏怡譯 譯.
-- 初版 -- 臺北市：方智，2015.02
224面；14.8×20.8公分 --（生涯智庫；129）
ISBN： 978-986-175-380-5（平裝）

1. 筆記法

019.2 103026079